UMA APRENDIZAGEM OU O LIVRO DOS PRAZERES

ptf
lispector
UMA APRENDIZAGEM OU O LIVRO DOS PRAZERES

POSFÁCIO DE
MARCELA LORDY

Rocco

Copyright © 2019 *by* Paulo Gurgel Valente

Texto posfácio de Marcela Lordy

Direitos desta edição reservados à
EDITORA ROCCO LTDA.
Rua Evaristo da Veiga, 65 – 11º andar
Passeio Corporate – Torre 1
20031-040 – Rio de Janeiro - RJ
tel.: (21) 3525-2000 – Fax: (21) 3525-2001
rocco@rocco.com.br
www.rocco.com.br

Printed in Brazil/Impresso no Brasil

Preparação de originais
Pedro Karp Vasquez

Projeto gráfico
Victor Burton e Anderson Junqueira

CIP-Brasil. Catalogação na publicação.
Sindicato Nacional dos Editores de Livros, RJ.

L753a	Lispector, Clarice, 1920-1977 Uma aprendizagem ou o livro dos prazeres / Clarice Lispector. – 1ª ed. – Rio de Janeiro : Rocco, 2020.
	"Inclui posfácio" ISBN 978-65-5532-017-6 ISBN 978-65-5595-016-8 (e-book)
	1. Romance brasileiro. I. Título.
20-65158	CDD: 869.3 CDU: 82-3(81)

Camila Donis Hartmann – Bibliotecária – CRB-7/6472

O texto deste livro obedece às normas
do Acordo Ortográfico da Língua Portuguesa.

Impressão e Acabamento: Geográfica

> Depois disto olhei, e eis que vi uma porta aberta no céu, e a primeira voz que ouvi era como a trombeta que falava comigo, dizendo: sobe aqui, e mostrar-te-ei as coisas que devem acontecer depois destas.
> APOCALIPSE, IV, I

> Provo..
> Que a mais alta expressão
> da dor.............
> Consiste essencialmente
> na alegria.......
> AUGUSTO DOS ANJOS

> *Jeanne:*
> *Je ne veux pas mourir! J'ai peur!*
> ....
> *Il y a la joie qui est la plus forte!*
> (Oratório dramático de PAUL CLAUDEL para música de Honneger, *Jeanne d'Arc au bucher.*)

NOTA

Este livro se pediu uma liberdade maior que tive medo de dar. Ele está muito acima de mim. Humildemente tentei escrevê-lo. Eu sou mais forte do que eu.

C.L.

A Origem da Primavera
ou a Morte Necessária
em Pleno Dia

, estando tão ocupada, viera das compras de casa que a empregada fizera às pressas porque cada vez mais matava serviço, embora só viesse para deixar almoço e jantar prontos, dera vários telefonemas tomando providências, inclusive um dificílimo para chamar o bombeiro de encanamentos de água, fora à cozinha para arrumar as compras e dispor na fruteira as maçãs que eram a sua melhor comida, embora não soubesse enfeitar uma fruteira, mas Ulisses acenara-lhe com a possibilidade futura de por exemplo embelezar uma fruteira, viu o que a empregada deixara para jantar antes de ir embora, pois o almoço estivera péssimo, enquanto notara que o terraço pequeno que era privilégio de seu apartamento por ser térreo precisava ser lavado, recebera um telefonema convidando-a para um coquetel de caridade em benefício de alguma coisa que ela não entendeu totalmente mas que se referia ao seu curso primário, graças a Deus que estava em férias, fora ao guarda-roupa escolher que vestido usaria para se tornar extremamente atraente para o encontro com Ulisses

que já lhe dissera que ela não tinha bom gosto para se vestir, lembrou-se de que sendo sábado ele teria mais tempo porque não dava nesse dia as aulas de férias na Universidade, pensou no que ele estava se transformando para ela, no que ele parecia querer que ela soubesse, supôs que ele queria ensinar-lhe a viver sem dor apenas, ele dissera uma vez que queria que ela, ao lhe perguntarem seu nome, não respondesse "Lóri" mas que pudesse responder "meu nome é eu", pois teu nome, dissera ele, é um eu, perguntou-se se o vestido branco e preto serviria, então do ventre mesmo, como um estremecer longínquo de terra que mal se soubesse ser sinal de terremoto, do útero, do coração contraído veio o tremor gigantesco duma forte dor abalada, do corpo todo o abalo – e em sutis caretas de rosto e de corpo afinal com a dificuldade de um petróleo rasgando a terra – veio afinal o grande choro seco, choro mudo sem som algum até para ela mesma, aquele que ela não havia adivinhado, aquele que não quisera jamais e não previra – sacudida como a árvore forte que é mais profundamente abalada que a árvore frágil – afinal rebentados canos e veias, então
sentou-se para descansar e em breve fazia de conta que ela era uma mulher azul porque o crepúsculo mais tarde talvez fosse azul, faz de conta que fiava com fios de ouro as sensações, faz de conta que a infância era hoje e prateada de brinquedos, faz de conta que uma veia não se abrira e faz de conta que dela não estava em silêncio alvíssimo escorrendo sangue escarlate, e que ela não estivesse pálida de morte mas isso fazia de conta que estava mesmo de verdade, precisava no meio do faz de conta falar a verdade de pedra opaca para que contrastasse com o faz de conta verde cintilante, faz de conta que amava e era amada, faz de conta que não precisava morrer de saudade, faz de conta que estava deitada na palma transparente da mão de Deus, não Lóri mas o seu nome secreto que ela por enquanto ainda não podia usufruir, faz de conta que vivia

e não que estivesse morrendo pois viver afinal não passava de se aproximar cada vez mais da morte, faz de conta que ela não ficava de braços caídos de perplexidade quando os fios de ouro que fiava se embaraçavam e ela não sabia desfazer o fino fio frio, faz de conta que ela era sábia bastante para desfazer os nós de corda de marinheiro que lhe atavam os pulsos, faz de conta que tinha um cesto de pérolas só para olhar a cor da lua pois ela era lunar, faz de conta que ela fechasse os olhos e seres amados surgissem quando abrisse os olhos úmidos de gratidão, faz de conta que tudo o que tinha não era faz de conta, faz de conta que se descontraía o peito e uma luz douradíssima e leve a guiava por uma floresta de açudes mudos e de tranquilas mortalidades, faz de conta que ela não era lunar, faz de conta que ela não estava chorando por dentro

– pois agora mansamente, embora de olhos secos, o coração estava molhado; ela saíra agora da voracidade de viver. Lembrou-se de escrever a Ulisses contando o que se passara, mas nada se passara dizível em palavras escritas ou faladas, era bom aquele sistema que Ulisses inventara: o que não soubesse ou não pudesse dizer, escreveria e lhe daria o papel mudamente – mas dessa vez não havia sequer o que contar.

Agora lúcida e calma, Lóri lembrou-se de que lera que os movimentos histéricos de um animal preso tinham como intenção libertar, por meio de um desses movimentos, a coisa ignorada que o estava prendendo – a ignorância do movimento único, exato e libertador era o que tornava um animal histérico: ele apelava para o descontrole – durante o sábio descontrole de Lóri ela tivera para si mesma agora as vantagens libertadoras vindas de sua vida mais primitiva e animal: apelara histericamente para tantos sentimentos contraditórios e violentos que o sentimento libertador terminara desprendendo-a da rede, na sua ignorância animal ela não sabia sequer como, estava cansada do esforço de animal libertado.

E agora chegara o momento de decidir se continuaria ou não vendo Ulisses. Em súbita revolta ela não quis aprender o que ele pacientemente parecia querer ensinar e ela mesma aprender – revoltava-se sobretudo porque aquela não era para ela época de "meditação" que de súbito parecia ridícula: estava vibrando em puro desejo como lhe acontecia antes e depois da menstruação. Mas era como se ele quisesse que ela aprendesse a andar com as próprias pernas e só então, preparada para a liberdade por Ulisses, ela fosse dele – o que é que ele queria dela, além de tranquilamente desejá-la? No começo Lóri enganara-se e pensara que Ulisses queria lhe transmitir algumas coisas das aulas de filosofia mas ele disse: "não é de filosofia que você está precisando, se fosse seria fácil: você assistiria às minhas aulas como ouvinte e eu conversaria com você em outros termos",

pois que agora o terremoto serviria à sua histeria e agora que estava libertada podia até adiar para o futuro a decisão de não ver Ulisses: só que hoje queria vê-lo e, apesar de não tolerar o mudo desejo dele, sabia que na verdade era ela quem o provocava para tentar quebrar a paciência com que ele esperava; com a mesada que o pai mandava comprava vestidos caros sempre justos, era só isso que sabia fazer para atraí-lo e

estava na hora de se vestir: olhou-se ao espelho e só era bonita pelo fato de ser uma mulher: seu corpo era fino e forte, um dos motivos imaginários que fazia com que Ulisses a quisesse; escolheu um vestido de fazenda pesada, apesar do calor, quase sem modelo, o modelo seria o seu próprio corpo mas

enfeitar-se era um ritual que a tornava grave: a fazenda já não era um mero tecido, transformava-se em matéria de coisa e era esse estofo que com o seu corpo ela dava corpo – como podia um simples pano ganhar tanto movimento? seus cabelos de manhã lavados e secos ao sol do pequeno terraço estavam da seda castanha mais antiga – bonita? não, mulher: Lóri então pintou cuidadosamente os lábios e os olhos, o que ela fazia, segundo uma colega, muito malfeito, passou perfume na testa e no nascimento dos seios – a terra era perfumada com cheiro de mil folhas e flores esmagadas: Lóri se perfumava e essa era uma das suas imitações do mundo, ela que tanto procurava aprender a vida – com o perfume, de algum modo intensificava o que quer que ela era e por isso não podia usar perfumes que a contradiziam: perfumar-se era de uma sabedoria instintiva, vinda de milênios de mulheres aparentemente passivas aprendendo, e, como toda arte, exigia que ela tivesse um mínimo de conhecimento de si própria: usava um perfume levemente sufocante, gostoso como húmus, como se a cabeça deitada, esmagasse húmus, cujo nome não dizia a nenhuma de suas colegas-professoras: porque ele era seu, era ela, já que para Lóri perfumar-se era um ato secreto e quase religioso

— usaria brincos? hesitou, pois queria orelhas apenas delicadas e simples, alguma coisa modestamente nua, hesitou mais: riqueza ainda maior seria a de esconder com os cabelos as orelhas de corça e torná-las secretas, mas não resistiu: descobriu-as, esticando os cabelos para trás das orelhas incongruentes e pálidas: rainha egípcia? não, toda ornada como as mulheres bíblicas, e havia também algo em seus olhos pintados que dizia com melancolia: decifra-me, meu amor, ou serei obrigada a devorar, e

agora pronta, vestida, o mais bonita quanto poderia chegar a sê-lo, vinha novamente a dúvida de ir ou não ao encontro com Ulisses – pronta, de braços pendentes, pensativa, iria ou não ao encontro? com Ulisses ela se comportava como uma virgem que não era mais, embora tivesse certeza de que também isso ele adivinhava, aquele sábio estranho que no entanto não parecia adivinhar que ela queria amor.

Mais uma vez, nas suas hesitações confusas, o que a tranquilizou foi o que tantas vezes lhe servia de sereno apoio: é que tudo o que existia, existia com uma precisão absoluta e no fundo o que ela terminasse por fazer ou não fazer não escaparia dessa precisão; aquilo que fosse do tamanho da cabeça de um alfinete, não transbordava nenhuma fração de milímetro além do tamanho de uma cabeça de alfinete: tudo o que existia era de uma grande perfeição. Só que a maioria do que existia com tal perfeição era, tecnicamente, invisível: a verdade, clara e exata em si própria, já vinha vaga e quase insensível à mulher.

Bem, suspirou ela, se não vinha clara, pelo menos sabia que havia um sentido secreto das coisas da vida. De tal modo sabia que às vezes, embora confusa, terminava pressentindo a perfeição –

de novo esses pensamentos, que de algum modo usava como lembrete (de que, por causa da perfeição que existia, ela terminaria acertando) – mais uma vez o lembrete agiu nela e com seus olhos ainda escuros agora pelo pensamento perturbado, decidiu que veria Ulisses pelo menos mais esta vez.

E não era porque ele esperava por ela, pois muitas vezes Lóri, contando com a já insultuosa paciência de Ulisses, faltava sem avisar-lhe nada: mas à ideia de que a paciência de Ulisses se esgotaria, a mão subiu-lhe à garganta tentando estancar uma angústia parecida com a que sentia quando se perguntava "quem sou eu? quem é Ulisses? quem são as pessoas?" Era como se Ulisses tivesse uma resposta para tudo isso e resolvesse não dá-la – e agora a angústia vinha porque de novo descobria que precisava de Ulisses, o que a desesperava – queria poder continuar a vê-lo, mas sem precisar tão violentamente dele. Se fosse uma pessoa inteiramente só, como era antes, saberia como sentir e agir dentro de um sistema. Mas Ulisses, entrando cada vez mais plenamente em sua vida, ela, ao se sentir protegida por ele, passara a ter receio de perder a proteção –

– embora ela mesma não soubesse ao certo que ideia fazia de "ser protegida": teria, por acaso, o desejo infantil de ter tudo mas sem a ansiedade de dever dar algo em troca? Proteção seria presença? Se fosse protegida por Ulisses ainda mais do que era, ambicionaria logo o máximo: ser tão protegida a ponto de não recear ser livre: pois de suas fugidas de liberdade teria sempre para onde voltar.

Por ter de relance se visto de corpo inteiro ao espelho, pensou que a proteção também seria não ser mais um corpo único: ser um único corpo dava-lhe, como agora, a impressão de que fora cortada de si própria. Ter um corpo único circundado pelo isolamento, tornava tão delimitado esse corpo, sentiu ela, que então se amedrontava de ser uma só, olhou-se avidamente de perto no espelho e se disse deslumbrada: como sou misteriosa, sou tão delicada e forte, e a curva dos lábios manteve a inocência.

Pareceu-lhe então, meditativa, que não havia homem ou mulher que por acaso não se tivesse olhado ao espelho e não se surpreendesse consigo próprio. Por uma fração de segundo a pessoa se via como um objeto a ser olhado, o que poderiam chamar de narcisismo mas, já influenciada por Ulisses, ela chamaria de: gosto de ser. Encontrar na figura exterior os ecos da figura interna: ah, então é verdade que eu não imaginei: eu existo.

E pelo mesmo fato de se haver visto ao espelho, sentiu como sua condição era pequena porque um corpo é menor que o pensamento – a ponto de que seria inútil ter mais liberdade: sua condição pequena não a deixaria fazer uso da liberdade. Enquanto a condição do Universo era tão grande que não se chamava de condição. A condição humana de

Ulisses era maior que a dela que, no entanto, tinha um cotidiano rico. Mas seu descompasso com o mundo chegava a ser cômico de tão grande: não conseguira acertar o passo com as coisas ao seu redor. Já tentara se pôr a par do mundo e tornara-se apenas engraçado: uma das pernas sempre curta demais. (O paradoxo é que deveria aceitar de bom grado essa condição de manca, porque também isto fazia parte de sua condição.) (Só quando queria andar certo com o mundo é que se estraçalhava e se espantava.) E de repente sorriu para si própria com um sorriso amargo, mas que não era mau porque também ele era de sua condição. (Lóri se cansava muito porque ela não parava de ser.)

Pareceu-lhe que Ulisses, se ela tivesse coragem de contar-lhe o que sentia, e jamais o faria, se lhe contasse ele responderia mais ou menos assim e bem calmo: a condição não se cura mas o medo da condição é curável. Ele diria isso ou qualquer outra coisa – irritou-a porque cada vez que lhe ocorria um pensamento mais agudo ou mais sensato como este, ela supusesse que Ulisses era quem o teria,

ela, que reconhecia com gratidão a superioridade geral dos homens que tinham cheiro de homens e não de perfume, e reconhecia com irritação que na verdade esses pensamentos que ela chamava de agudos ou sensatos já eram resultado de sua convivência mais estreita com Ulisses. E mesmo o fato de seus "sofrimentos" serem agora mais espaçados, o que devia a Ulisses – "sofrimentos"? ser era uma dor? E só quando ser não fosse mais uma dor é que Ulisses a consideraria pronta para dormir com ele? Não, não vou ao encontro, pensou então para desligar-se dele. Mas desta vez não quis que ele fosse ao bar esperá-la: para ofendê-lo quis dizer-lhe que não ia, ele que estava habituado a vê-la faltar e não avisar sequer. Dessa vez ela lhe diria que não ia, o que era uma ofensa mais positiva.

haviam-se passado momentos ou três mil anos? Momentos pelo relógio em que se divide o tempo, três mil anos pelo que Lóri sentiu quando com pesada angústia, toda vestida e pintada, chegou à janela. Era uma velha de quatro milênios.

Não – não fazia vermelho. Era a união sensual do dia com a sua hora mais crepuscular. Era quase noite e estava ainda claro. Se pelo menos fosse vermelho à vista como o era nela intrinsecamente. Mas era um calor de luz sem cor, e parada. Não, a mulher não conseguia transpirar. Estava seca e límpida. E lá fora só voavam pássaros de penas empalhadas. Se a mulher fechava os olhos para não ver o calor, pois era um calor visível, só então vinha a alucinação lenta simbolizando-o: via elefantes grossos se aproximarem, elefantes doces e pesados, de casca seca, embora mergulhados no interior da carne por uma ternura quente insuportável; eles eram difíceis de se carregarem a si próprios, o que os tornava lentos e pesados.

Ainda era cedo para acender as lâmpadas, o que pelo menos precipitaria uma noite. A noite que não vinha, não vinha, não vinha, que era impossível. E o seu amor que agora era impossível – que era seco como a febre de quem não transpira era amor sem ópio nem morfina. E "eu te amo" era uma farpa que não se podia tirar com uma pinça. Farpa incrustada na parte mais grossa da sola do pé.

Ah, e a falta de sede. Calor com sede seria suportável. Mas ah, a falta de sede. Não havia senão faltas e ausências. E nem ao menos a vontade. Só farpas sem pontas salientes por onde serem pinçadas e extirpadas. Só os dentes estavam úmidos. Dentro de uma boca voraz e ressequida os dentes úmidos mas duros – e sobretudo a boca voraz para nada. E o nada era quente naquele fim de tarde eternizada pelo planeta Marte.

Seus olhos abertos e diamantes. Nos telhados os pardais secos. "Eu vos amo, pessoas", era frase impossível. A humanidade lhe era como morte eterna que no entanto não tivesse o alívio de enfim morrer. Nada, nada morria na tarde enxuta, nada apodrecia. E às seis horas da tarde fazia meio-dia. Fazia meio-dia com um barulho atento de máquina de bomba de água, bomba que trabalhava há tanto tempo sem água e que virara ferro enferrujado: há dois dias faltava água em diversas zonas da cidade. Nada jamais fora tão acordado como seu corpo sem transpiração e seus olhos-diamantes, e de vibração parada. E o Deus? Não. Nem mesmo a angústia. O peito vazio, sem contração. Não havia grito.

Enquanto isso era verão. Verão largo como o pátio vazio nas férias da escola. Dor? Nenhuma. Nenhum sinal de lágrima e nenhum suor. Sal nenhum. Só uma doçura pesada: como a da casca lenta dos elefantes de couro ressequido. A esqualidez límpida e quente. Pensar no seu homem? Não, era a farpa na parte coração dos pés. Lamentar não ter casado e não ter filhos? Quinze filhos dependurados, sem se balançarem à ausência de vento. Ah, se as mãos começassem a se umedecer. Nem que houvesse água, por ódio não se banharia. Era por ódio que não havia água. Nada escorria. A dificuldade era uma coisa parada. É uma joia diamante. A cigarra de garganta seca não parava de rosnar. E se o Deus se liquefaz enfim em chuva? Não. Nem quero. Por seco e calmo ódio, quero isso mesmo, este silêncio feito de calor que a cigarra rude torna sensível. Sensível? Não se sente nada. Senão esta dura falta de ópio que amenize. Quero que isto que é intolerável continue porque quero a eternidade. Quero esta espera contínua como o canto avermelhado da cigarra, pois tudo isso é a morte parada, é a Eternidade de trilhões de anos das estrelas e da Terra, é o cio sem desejo, os cães sem ladrar. É nessa hora que o bem e o mal não existem. É o perdão súbito, nós que nos alimentávamos com gosto secreto da punição. Agora é a indiferença de um perdão. Pois não há mais julgamento. Não é um perdão que tenha vindo depois de um julgamento. É a ausência de juiz e condenado. E não chove, não chove. Não existe menstruação. Os ovários são duas pérolas secas. Vou vos dizer a verdade: por ódio seco, quero é isto mesmo, e que não chova.

E exatamente então ela ouve alguma coisa. Uma coisa também seca que a deixa ainda mais seca de atenção. É um rolar de trovão seco, sem uma saliva, que rola, mas aonde? No céu nu e absolutamente azul nenhuma nuvem de amor que chore. Deve ser de muito longe o trovão. Ao mesmo tempo o ar tem um cheiro adocicado de elefantes grandes, e de jasmim adocicado na casa ao lado. A Índia invadindo o Rio de Janeiro com suas mulheres adocicadas. Um cheiro de cravos de cemitério. Irá tudo mudar tão de repente? Para quem não tinha nem noite nem chuva nem apodrecimento de madeira na água – para quem não tinha senão pérolas, será que a noite vai chegar? Vai ter madeira enfim apodrecendo, cravo vivo de chuva no cemitério, chuva que vem da Malásia?

A urgência é ainda imóvel mas já tem um tremor dentro. Lóri não percebe que o tremor é seu, como não percebera que aquilo que a queimava não era o fim da tarde encalorada, e sim o seu calor humano. Ela só percebe que agora alguma coisa vai mudar, que choverá ou cairá a noite. Mas não suporta a espera de uma passagem, e antes da chuva cair, o diamante dos olhos se liquefaz em duas lágrimas.

E enfim o céu se abranda.

Lóri ligou o número de telefone:
– Não poderei ir, Ulisses, não estou bem.
Houve uma pausa. Ele afinal perguntou:
– É fisicamente que você não está bem?
Ela respondeu que não tinha nada físico. Então ele disse:
– Lóri, disse Ulisses, e de repente pareceu grave embora falasse tranquilo, Lóri: uma das coisas que aprendi é que se deve viver apesar de. Apesar de, se deve comer. Apesar de, se deve amar. Apesar de, se deve morrer. Inclusive muitas vezes é o próprio apesar de que nos empurra para a frente. Foi o apesar de que me deu uma angústia que insatisfeita foi a criadora de minha própria vida. Foi apesar de que parei na rua e fiquei olhando para você enquanto você esperava um táxi. E desde logo desejando você, esse teu corpo que nem sequer é bonito, mas é o corpo que eu quero. Mas quero inteira, com a alma também. Por isso, não faz mal que você não venha, esperarei quanto tempo for preciso.

– Por que é que você nunca se casou? perguntou ela incongruentemente.

– É que – e sua voz era a voz de quem sorria – é que não senti necessidade e por sorte tive as mulheres que eu quis.

Ela se despediu, abaixou a cabeça em pudor e alegria. Pois apesar de, ela tivera alegria. Ele esperaria por ela, agora o sabia. Até que ela aprendesse.

Tudo estava tranquilo agora. E ao lembrar-se de sua própria imagem bíblica, ao se ter olhado antes ao espelho, achou-a tão de algum modo bonita, que tinha que dar esse aspecto de beleza a alguém. E esse alguém só podia ser Ulisses que sabia ver a beleza disfarçada e tão recôndita que um ser vulgar não poderia. Mas ele, a um olhar, podia. Ele era um homem, ela era uma mulher, e milagre mais extraordinário do que esse só se comparava à estrela cadente que atravessa quase imaginariamente o céu negro e deixa como rastro o vívido espanto de um Universo vivo. Era um homem e era uma mulher.

Ela que tantas vezes chegara a odiar Ulisses, mesmo continuando a fazer com que ele a desejasse.

Ah! gritou-se muda de repente, que o Deus me ajude a conseguir o impossível, só o impossível me importa!

Nem sequer entendeu o que queria dizer com isso, mas como se tivesse sido atendida no maior apelo humano e de algum modo, só por desejá-lo, tivesse tocado no impossível, disse baixo, audível, humilde: – obrigada.

Através de seus graves defeitos – que um dia ela talvez pudesse mencionar sem se vangloriar – é que chegara agora a poder amar. Até aquela glorificação: ela amava o Nada. A consciência de sua permanente queda humana a levava ao amor do Nada. E aquelas quedas – como as de Cristo que várias vezes caiu ao peso da cruz – e aquelas quedas é que começavam a fazer a sua vida. Talvez fossem os seus "apesar de" que, Ulisses dissera, cheios de angústia e desentendimento de si própria, a estivessem levando a construir pouco a pouco uma vida. Com pedras de material ruim ela levantava talvez o horror, e aceitava o mistério de com horror amar ao Deus desconhecido. Não sabia o que fazer de si própria, já nascida, senão isto: Tu, ó Deus, que eu amo como quem cai no nada.

Depois foi fácil telefonar para Ulisses e dizer-lhe que mudara de ideia e que podia ir esperá-la no bar. Era cruel o que fazia consigo própria: aproveitar que estava em carne viva para se conhecer melhor, já que a ferida estava aberta. Mas doía demais mexer-se nesse sentido. Então preferiu apaziguar-se e planejou que, no táxi, pensaria no nariz reto de Ulisses, na sua cara marcada pela aprendizagem lenta da vida, nos seus lábios que ela jamais beijara.

Só que ela não queria ir de mãos vazias. E assim como se lhe levasse uma flor, ela escreveu num papel algumas palavras que lhe dessem prazer: "Existe um ser que mora dentro de mim como se fosse casa dele, e é. Trata-se de um cavalo preto e lustroso que apesar de inteiramente selvagem – pois nunca morou antes em ninguém nem jamais lhe puseram rédeas nem sela – apesar de inteiramente selvagem tem por isso mesmo uma doçura primeira de quem não tem medo: come às vezes na minha mão. Seu focinho é úmido e fresco. Eu beijo o seu focinho. Quando eu morrer, o cavalo preto ficará sem casa e vai sofrer muito. A menos que ele escolha outra casa e que esta outra casa não tenha medo daquilo que é ao mesmo tempo selvagem e suave. Aviso que ele não tem nome: basta chamá-lo e se acerta com seu nome. Ou não se acerta, mas, uma vez chamado com doçura e autoridade, ele vai. Se ele fareja e sente que um corpo-casa é livre, ele trota sem ruídos e vai. Aviso também que não se deve temer o seu relinchar: a gente se engana e pensa que é a gente mesma que está relinchando de prazer ou de cólera, a gente se assusta com o excesso de doçura do que é isto pela primeira vez."

Ela sorriu. Ulisses ia gostar, ia pensar que o cavalo era ela própria. Era?

Como se uma manada de gazelas transparentes se transladassem no ar do mundo ao crepúsculo – foi isso o que Lóri conseguiu várias semanas depois. A vitória translúcida foi tão leve e promissora como o prazer pré-sexual.

Ela se tornara mais habilidosa: como se aos poucos estivesse se habituando à Terra, à Lua, ao Sol, e estranhamente a Marte sobretudo. Estava numa plataforma terrestre de onde por átimos de segundos parecia ver a super-realidade do que é verdadeiramente real. Mais real – disse-lhe Ulisses quando ela a seu jeito contou-lhe o quase não acontecimento – mais real que a realidade.

No dia seguinte tentou pacientemente de novo o crepúsculo. Estava à espera. Com os sentidos aguçados pelo mundo que a cercava como se entrasse nas terras desconhecidas de Vênus. Nada aconteceu.

LUMINESCÊNCIA

de Ulisses ela aprendera a ter coragem de ter fé – muita coragem, fé em quê? Na própria fé, que a fé pode ser um grande susto, pode significar cair no abismo, Lóri tinha medo de cair no abismo e segurava-se numa das mãos de Ulisses enquanto a outra mão de Ulisses empurrava-a para o abismo – em breve ela teria que soltar a mão menos forte do que a que a empurrava, e cair, a vida não é de se brincar porque em pleno dia se morre.

A mais premente necessidade de um ser humano era tornar-se um ser humano.

houve a noite de terror. Ela ouvia passos indo e vindo. Olhou pela fresta da janela e viu que era o mesmo homem meio doido, com braços compridos de macaco, que durante o dia a seguira. Os passos vagarosos que vinham e iam e voltavam. Lóri sabia que ele esperava por ela. Pela fresta viu que ele fumava e pacientemente andava para cá e para lá.

Ela não suportou mais e telefonou para Ulisses. Ele disse que em minutos estaria lá. Minutos ou horas intermináveis? Ter-se-ia quebrado o freio de seu carro ou coisa semelhante?

Finalmente ouviu o carro parar. Viu pela janela os dois homens falando, e um sussurro calmo que se prolongava demais.

Afinal viu o homem se afastar, ao mesmo tempo que Ulisses dizia-lhe baixo:

— Lóri, está tudo bem. Foi um homem que você hoje ficou olhando muito, possivelmente distraída, e ele com esperança acompanhou você esperando que você abrisse a porta.

– Venha até a porta.

Ele foi:

– Quer tomar um café? perguntou ela como pretexto para fazê-lo entrar.

Ele ficou no limiar. Ela estava de pé, em camisola curta e transparente. Ele ia dizer: "pode dormir descansada, eu dissuadi o homem a meu modo." Mas antes de dizer isso ele parou inteiramente, com os lábios apertados, e olhou-a de alto a baixo. Afinal disse:

– De dia telefono para você.

Com o desespero de fêmea desprezada, ouviu o carro dele se afastar.

A visão de Ulisses tirara-lhe o sono. Olhou-se de corpo inteiro ao espelho para calcular o que Ulisses vira. E achou-se atraente. No entanto ele não quisera entrar.

Esperou sem pressa pela madrugada. A melhor luz de se viver era na madrugada, leve tão leve promessa de manhãzinha. Ela sabia disso, já passara inúmeras vezes por isso. Como para um pintor que escolhe a luz que lhe convém, Lóri preferia para a descoberta do que se chama viver essas horas tímidas do vago começo do dia. De madrugada ia ao pequeno terraço e quando tinha sorte era madrugada com lua cheia. Tudo isso ela já aprendera através de Ulisses. Antes ela evitara sentir. Agora ainda tinha porém já com leves incursões pela vida.

Mas da lua ela não tinha receio porque era mais lunar que solar e via de olhos bem abertos nas madrugadas tão escuras a lua sinistra no céu. Então ela se banhava toda nos raios lunares, assim como havia os que tomavam banhos de sol. E ficava profundamente límpida.

Nesta madrugada fresca foi ao terraço e refletindo um pouco chegou à assustadora certeza de que seus pensamentos eram tão sobrenaturais como uma história passada depois da morte. Ela simplesmente sentira, de súbito, que pensar não lhe era natural. Depois chegara à conclusão de que ela não tinha um dia a dia mas sim uma vida a vida. E aquela vida que era sua nas madrugadas era sobrenatural com suas inúmeras luas banhando-a de um prateado líquido tão terrível.

Sobretudo aprendera agora a se aproximar das coisas sem ligá-las à sua função. Parecia agora poder ver como seriam as coisas e as pessoas antes que lhes tivéssemos dado o sentido de nossa esperança humana ou de nossa dor. Se não houvesse humanos na Terra, seria assim: chovia, as coisas se ensopavam sozinhas e secavam e depois ardiam secas ao sol e se crestavam em poeira. Sem dar ao mundo o nosso sentido, como Lóri se assustava! Tinha medo da chuva quando a separava da cidade e dos guarda-chuvas abertos e dos campos se embebendo de água. Então o que chamava de morte a atraía tanto que só poderia chamar de valoroso o modo como, por solidariedade e pena dos outros, ainda estava presa ao que chamava de vida. Seria profundamente amoral não esperar pela morte como os outros todos esperam por esta hora final. Teria sido esperteza dela avançar no tempo, e imperdoável ser mais sabida que os outros. Por isso, apesar da curiosidade intensa que tinha pela morte, Lóri esperava.

Amanheceu.

O que se passara no pensamento de Lóri naquela madrugada era tão indizível e intransmissível como a voz de um ser humano calado. Só o silêncio da montanha lhe era equivalente. O silêncio da Suíça, por exemplo. Lembrou-se com saudade do tempo em que o pai era rico e viajavam vários meses por ano.

Por mais intransmissível que fossem os humanos, eles sempre tentavam se comunicar através de gestos, de gaguejos, de palavras mal ditas e malditas. Já era de manhã mais alta quando ela preparou café forte, tomou-o e dispôs-se a se comunicar com Ulisses, já que Ulisses era o seu homem. Escreveu:

"É tão vasta a noite na montanha. Tão despovoada. A noite espanhola tem o perfume e o eco duro do sapateado da dança, a italiana tem o mar cálido mesmo se ausente. Mas a noite de Berna tem o silêncio.

Tenta-se em vão ler para não ouvi-lo, pensar depressa para disfarçá-lo, inventar um programa, frágil ponte que mal nos liga ao subitamente improvável dia de amanhã. Como ultrapassar essa paz que nos espreita. Montanhas tão altas que o desespero tem pudor. Os ouvidos se afiam, a cabeça se inclina, o corpo todo escuta: nenhum rumor. Nenhum galo possível. Como estar ao alcance dessa profunda meditação do silêncio? Desse silêncio sem lembrança de palavras. Se és morte, como te abençoar?

É um silêncio, Ulisses, que não dorme: é insone: imóvel mas insone e sem fantasmas. É terrível – sem nenhum fantasma. Inútil querer povoá-lo com a possibilidade de uma porta que se abra rangendo, de uma cortina que se abra e 'diga' alguma coisa. Ele é vazio e sem promessa. Como eu, Ulisses? Se ao menos houvesse o vento. Vento é ira, ira é a vida. Mas nas noites que passei em Berna não havia vento e cada folha estava incrustada no galho das árvores imóveis. Ou se fosse época de cair neve. Que é muda mas deixa rastro – tudo embranquece, as crianças riem brincando com os flocos, os passos rangem e marcam. Isso durante o dia é tão intenso que a noite ainda é povoada. Há uma continuidade que é a vida. Mas este silêncio não deixa provas. Não se pode falar do silêncio como se fala da neve. O silêncio é a profunda noite secreta do mundo. E não se pode falar do silêncio como se fala da neve: sentiu o silêncio dessas noites? Quem ouviu não diz. Há uma maçonaria do silêncio que consiste em não falar dele e de adorá-lo sem palavras.

A noite, Ulisses, desce com suas pequenas alegrias de quem acende lâmpadas, com o cansaço que tanto justifica o dia. As crianças de Berna adormecem, fecham-se as últimas portas. As ruas brilham nas lajes e brilham já vazias. E afinal apagam-se as luzes das casas. Só um ou outro poste iluminado para iluminar o silêncio.

Mas este primeiro silêncio, Ulisses, ainda não é o silêncio. Que se espere, pois as folhas das árvores ainda se ajeitarão melhor, algum passo tardio talvez se ouça com esperança pelas escadas.

Mas há um momento em que do corpo descansado se ergue o espírito atento, e da Terra e da Lua. Então ele, o silêncio, aparece. E o coração bate ao reconhecê-lo: pois ele é o de dentro da gente.

Pode-se depressa pensar no dia que passou. Ou nos amigos que passaram e para sempre se perderam. Mas é inútil esquivar-se: há o silêncio. Mesmo o sofrimento pior, o da amizade perdida, é apenas fuga. Pois se no começo o silêncio parece aguardar uma resposta – como arde, Ulisses, por ser chamada e responder; – cedo se descobre que de ti ele nada exige, talvez apenas o teu silêncio. Mas isto os da maçonaria sabem. Quantas horas perdi na escuridão supondo que o silêncio te julga – como esperei em vão ser julgada pelo Deus. Surgem as justificações, trágicas justificações forjadas, humildes desculpas até à indignidade. Tão suave é para o ser humano enfim mostrar sua indignidade e ser perdoado com a justificativa de que se é um ser humano humilhado de nascença.

Até que se descobre, Ulisses – nem a tua indignidade ele quer. Ele é o Silêncio. Ele é o Deus?

Pode-se tentar enganá-lo também. Deixa-se como por acaso o livro da cabeceira cair no chão. Mas – horror – o livro cai dentro do silêncio e se perde na muda e parada voragem deste. E se um pássaro enlouquecido cantasse? Esperança inútil. O canto apenas atravessaria como uma leve flauta o silêncio. O que mais se parecia, no domínio do som, com o silêncio, era uma flauta.

Então, se há coragem, não se luta mais. Entra-se nele, vai-se nele para o Inferno? Vai-se com ele, nós os únicos fantasmas de uma noite em Berna. Que se entre. Que não se espere o resto da escuridão diante dele, só ele próprio. Será como se estivéssemos num navio tão descomunalmente enorme que ignorássemos estar num navio. E este singrasse tão largamente que ignorássemos estar indo. Mais do que isso um homem não pode. Viver na orla da morte e das estrelas é vibração mais tensa do que as veias podem suportar. Não há sequer um filho de astro e de mulher como intermediário piedoso. O coração tem que se apresentar diante do Nada sozinho e sozinho bater em silêncio de uma taquicardia nas trevas. Só se sente nos ouvidos o próprio coração. Quando este se apresenta todo nu, nem é comunicação, é submissão. Pois nós não fomos feitos senão para o pequeno silêncio, não para o silêncio astral.

Se não há coragem, que não se entre. Que se espere o resto da escuridão diante do silêncio, só os pés molhados pela espuma de algo que se espraia de dentro de nós. Que se espere. Um insolúvel pelo outro. Um ao lado do outro, duas coisas que não veem na escuridão. Que se espere. Não o fim do silêncio mas o auxílio bendito de um terceiro elemento: a luz da aurora.

Depois nunca mais se esquece, Ulisses. Inútil até fugir para outra cidade. Pois quando menos se espera pode-se reconhecê-lo – de repente. Ao atravessar a rua no meio das buzinas dos carros. Entre uma gargalhada fantasmagórica e outra. Depois de uma palavra dita. Às vezes no próprio coração da palavra se reconhece o Silêncio. Os ouvidos se assombram, o olhar se esgazeia – ei-lo. E dessa vez ele é fantasma."

Escrever aliviou-a. Estava de olheiras pela noite não dormida, cansada, mas por um instante – ah como Ulisses gostaria de saber – feliz. Porque, se não expressara o inexpressível silêncio, falara como um macaco que grunhe e faz gestos incongruentes, transmitindo não se sabe o quê. Lóri era. O quê? Mas ela era.

O que acontecia na verdade com Lóri é que, por alguma decisão tão profunda que os motivos lhe escapavam – ela havia por medo cortado a dor. Só com Ulisses viera aprender que não se podia cortar a dor – senão se sofreria o tempo todo. E ela havia cortado sem sequer ter outra coisa que em si substituísse a visão das coisas através da dor de existir, como antes. Sem a dor, ficara sem nada, perdida no seu próprio mundo e no alheio sem forma de contato.

Fora então que Ulisses aparecera casualmente na sua vida. Ele, que se interessara por Lóri apenas pelo desejo, parecia agora ver como ela era inalcançável. E mais: não só inalcançável por ele mas por ela própria e pelo mundo. Ela vivia de um estreitamento no peito: a vida.

Então é que haviam começado os encontros: ela só parecia querer dele aprender alguma coisa e enganara-se pensando que queria aprender pelo fato de Ulisses ser professor de Filosofia, usando-o nessa esperança. Quando esta morreu, ao ver que ele não tinha a menor intenção de ensinar-lhe um modo de viver "filosófico" ou "literário", já era tarde: estava presa a ele porque queria ser desejada, sobretudo gostava de ser desejada meio selvagemente quando ele bebia demais. Já tinha sido desejada por outros homens mas era novo Ulisses querendo-a e esperando com paciência – mesmo quando estava embriagado, o que não lhe tirava o controle – e esperando com paciência que ela estivesse pronta, enquanto ele próprio dizia de si mesmo que estava em plena aprendizagem, mas tão além dela que ela se transformava em ínfimo corpo vazio e doloroso, apenas isso. E ela ansiava por ele porque exatamente ele lhe parecia ser o limite entre o passado e o que viesse – o que viria? Nada, pensava em desespero. Esperava, já que não tinha a fazer senão dar aulas de manhã no curso primário ou então estar de férias como agora, ler um pouco, comer e dormir, e encontrar-se com Ulisses que pouco a transformava, ou se a transformava era pouco demais. E esperar.

No entanto era o seu pavor de uma possível intimidade de alma com Ulisses o que a deixava irritada com ele. Estaria na verdade lutando contra a sua própria vontade intensa de aproximar-se do impossível de um outro ser humano? Ah, que não fosse mais a dor, e ajudava Ulisses aplicando-se depressa em aprender – o quê? – por medo de que ao final ele achasse que já era tarde demais para ela e recusasse gentilmente. Parecia-lhe no entanto que ela própria dificultava a missão de ambos. Porque embora sem saber o que queria, além de um dia vir a dormir com ele, adivinhava que seria algo tão difícil de dar e receber que ele talvez se recusasse.

A própria Lóri tinha uma espécie de receio de ir, como se pudesse ir longe demais – em que direção? O que dificultava a ida. Sempre se retinha um pouco como se retivesse as rédeas de um cavalo que poderia galopar e levá-la Deus sabe aonde. Ela se guardava. Por que e para quê? Para o que estava ela se poupando? Era um certo medo da própria capacidade, pequena ou grande, talvez por não conhecer os próprios limites. Os limites de um humano eram divinos? Eram. Mas parecia-lhe que, assim como uma mulher às vezes se guardava intocada para dar-se um dia ao amor, que ela queria morrer talvez ainda toda inteira para a eternidade tê-la toda.

Queria ela a salvação? A dor fora anquilosada e paralisada dentro de seu peito, como se ela não quisesse mais usá-la como forma de viver. Mas essa precaução – vinda depois de Ulisses – não era ainda a que a salvaria: pois em lugar da dor, nada viera senão a parada da vida dos sentimentos. Se era a salvação que ela esperava de Ulisses, isso seria pedir tanto e tão grande que ele negaria? Ela nunca vira ninguém salvar o outro, então temia uma aproximação que só faria desiludi-la na confirmação de que um ser não transpassa o outro como sombras que se trespassam.

Às vezes regredia e sucumbia a uma completa irresponsabilidade: o desejo de ser possuída por Ulisses sem ligar-se a ele, como fizera com os outros. Mas também nisso poderia falhar: era agora uma mulher de grande cidade mas o perigo é que também havia uma forte herança agrária vinda de longe no seu sangue. E sabia que essa herança poderia fazer com que de repente ela quisesse mais, dizendo-se: não, eu não quero ser eu somente, por ter um eu próprio, quero é a ligação extrema entre mim e a terra friável e perfumada. O que chamava de terra já se tornara o sinônimo de Ulisses, tanto ela queria a terra de seus antepassados. Com as crianças que ela ensinava de manhã, não conseguia unir-se à terra, como se não estivesse pronta para ter a ligação de mulher com o que representava filhos. E restava, ainda como sombra da dor sombria de que fora feita antes de Ulisses, o pensamento desalentado: o que ela era, era apenas uma pequena parte de si mesma.

Sua alma incomensurável. Pois ela era o Mundo. E no entanto vivia o pouco. Isso constituía uma de suas fontes de humildade e forçada aceitação, e também a enfraquecia diante de qualquer possibilidade de agir.

Aliás sentir-se humilde demais era de onde paradoxalmente vinha a sua altivez de pessoa. É que sua altivez – que se refletia no modo flexível e tranquilo de andar – sua altivez vinha da certeza obscura de que suas raízes eram fortes, e que sua humildade não era apenas humildade humana: é que qualquer raiz era forte, e sua humildade vinha da certeza obscura de que todas as raízes eram humildes, terrosas e cheias de úmido vigor na sua modéstia nodosa de raiz.

É claro que tudo isso não era pensado: era vivido, com uma ou outra rápida passagem de luz de holofote na noite iluminando o céu por um átimo de segundo de pensamento a escuridão.

O que também salvara Lóri é que sentia que se o seu mundo particular não fosse humano, também haveria lugar para ela, e com grande beleza: ela seria uma mancha difusa de instintos, doçuras e ferocidades, uma trêmula irradiação de paz e luta, como era humanamente, mas seria de forma permanente: porque se o seu mundo não fosse humano ela seria um bicho. Por um instante então desprezava o próprio humano e experimentava a silenciosa alma da vida animal.

E era bom. "Não entender" era tão vasto que ultrapassava qualquer entender – entender era sempre limitado. Mas não entender não tinha fronteiras e levava ao infinito, ao Deus. Não era um não entender como um simples de espírito. O bom era ter uma inteligência e não entender. Era uma bênção estranha como a de ter loucura sem ser doida. Era um desinteresse manso em relação às coisas ditas do intelecto, uma doçura de estupidez.

Mas de vez em quando vinha a inquietação insuportável: queria entender o bastante para pelo menos ter mais consciência daquilo que ela não entendia. Embora no fundo não quisesse compreender. Sabia que aquilo era impossível e todas as vezes que pensara que se compreendera era por ter compreendido errado. Compreender era sempre um erro – preferia a largueza tão ampla e livre e sem erros que era não entender. Era ruim, mas pelo menos se sabia que se estava em plena condição humana.

No entanto às vezes adivinhava. Eram manchas cósmicas que substituíam entender.

Lóri já havia contado a Ulisses sobre o tempo que, em Campos, os pais eram ricos e viajavam, demorando--se meses com os filhos num país ou outro, até que, ao mesmo tempo em que a mãe morrera, a fortuna se reduzira a um terço. Ulisses, apesar de nunca ter viajado senão pelo Brasil, jamais lhe fizera perguntas turísticas. Nem ela as descrevia. Lóri falava sucintamente sobre si mesma em outros países. Dissera pouco mas ele, pela atenção que lhe dera, parecia ter ouvido além do que ela contara.

Ela falara de Paris mas não da terra chamada Paris. Falara de como o inverno lá era cheio de trevas no crepúsculo e de como nevava neve ruim, não da leve mas da grossa, e ainda mais: os flocos gelados batiam-lhe no rosto já rígido de frio trazidos pelas rajadas de vento. Contara por alto que um dia, ao escurecer, começara numa esquina a chorar de manso. Não havia ninguém por perto, e então ela começara a falar sozinha: "O Deus que me ajude nessas trevas geladas que são as minhas."

— Nessa esquina, dissera ela a Ulisses com sua voz sempre mansa, eu me senti perdida, salva de algum naufrágio e jogada numa praia escura, fria, deserta.

Paris, de súbito, aquela terra estranha, dera-lhe a dor mais insólita – a de sua perdição real. Estar perdida não era a verdade corriqueira mas era a irrealidade que lhe vinha dar a noção de sua condição verdadeira. E a de todos.

Contou também de como no inverno ainda em Paris, ela procurara uma costureira num bairro distante do hotel. Dentro de casa não sentira a tarde cair e, estando a lareira acesa, não percebera que o frio com a noite precoce se tornara gelado. Era nove de fevereiro. Ao sair assustara-se ao encontrar noite feita. Não conhecia o bairro e os táxis eram raros, os que passavam naquela rua negra já vinham com passageiros. Não tinha exata noção a que distância se achava do hotel. Ficara ali de pé esperando inutilmente um táxi. E se esquecesse o nome do hotel? E de repente não tivera a menor ideia do nome do seu, tanto o nome dos hotéis em todas as cidades do mundo se pareciam e ela morara ou apenas pousara em tantos. Se não se lembrasse nunca mais do nome do hotel, ninguém a encontraria, ela ficaria morando naquele bairro sujo e negro e de edifícios enegrecidos, isolada do resto de Paris e teria que mudar de vida para sobreviver. Moraria ali mesmo onde se perdera: era raro uma pessoa tocar tão de perto a sua própria perdição. Para ter o que comer iria se prostituir? De acordo como era feita parecia-lhe mais fácil e menos angustioso do que trabalhar atrás do balcão de uma loja.

Perdera a noção de quanto tempo estava ali naquela noite. O frio aumentara tanto que homens haviam acendido uma fogueira cor de flama intensa dentro de uma lata depositada na calçada. Aproximou-se também e, como os homens, para não sentir a dormência crescente dos pés frígidos, sapateava de vez em quando imitando-os e, ainda imitando-os, esfregava as mãos enluvadas uma na outra – até que de repente o inesperado: o táxi vazio passando.

Mandou-o parar. E o nome do hotel? "Vá andando", disse ela ao chofer. "Andando para onde?" respondera mal-humorado como todos os choferes em Paris. "Vá andando", repetiu com fingida dureza. Esqueceria de fato o nome do hotel? Sentia-se como quando era criança e tomava parte em representações teatrais, e nos bastidores, antes de entrar no palco, estremecia de pavor porque simplesmente havia esquecido as primeiras linhas do que devia dizer. Embora, uma vez entrando no palco, falasse de repente como uma sonâmbula, e só mais tarde fosse aos poucos tomando consciência de si e do público e conseguisse representar seu papel.

Foi a uma freada súbita do táxi, acompanhada de palavrões do chofer, que lhe deu o choque necessário e de súbito lembrara-se do nome do hotel. Disse-o ao chofer e imediatamente caiu num choro abafado de alívio e sofrimento.

Ulisses ouvira de testa franzida. E depois dissera:

– E então você não quis mais nada disso. E parou com a possibilidade de dor, o que nunca se faz impunemente. Apenas parou e nada encontrou além disso. Eu não digo que eu tenha muito, mas tenho ainda a procura intensa e uma esperança violenta. Não esta sua voz baixa e doce. E eu não choro, se for preciso um dia eu grito, Lóri. Estou em plena luta e muito mais perto do que se chama de pobre vitória humana do que você, mas é vitória. Eu já poderia ter você com o meu corpo e minha alma. Esperarei nem que sejam anos que você também tenha corpo-alma para amar. Nós ainda somos moços, podemos perder algum tempo sem perder a vida inteira. Mas olhe para todos ao seu redor e veja o que temos feito de nós e a isso considerado vitória nossa de cada dia. Não temos amado, acima de todas as coisas. Não temos aceito o que não se entende porque não queremos passar por tolos. Temos amontoado coisas e seguranças por não nos termos um ao outro. Não temos nenhuma alegria que já não tenha sido catalogada. Temos construído catedrais, e ficado do lado de fora pois as catedrais que nós mesmos construímos, tememos que sejam armadilhas. Não nos temos entregue a nós mesmos, pois isso seria o começo de uma vida larga e nós a tememos. Temos evitado cair de joelhos diante do primeiro de nós que por amor diga: tens medo. Temos organizado associações e clubes sorridentes onde se serve com ou sem soda. Temos procurado nos salvar mas sem usar a palavra salvação para não nos envergonharmos de ser inocentes. Não temos usado a palavra amor para não termos de reconhecer sua contextura de ódio, de amor, de ciúme e de tantos outros contraditórios. Temos mantido em segredo a nossa morte para tornar nossa vida possível. Muitos de nós fazem arte por não saber como é a outra coisa. Temos disfarçado com falso amor a nossa indiferença, sabendo que nossa indiferença é angústia disfarçada. Temos disfarçado com o pequeno medo o grande medo maior e por isso nunca falamos no que realmente importa. Falar no que realmente importa é considerado uma gafe. Não temos adorado por termos a sensata mesquinhez de nos lembrarmos a tempo dos falsos deuses. Não temos sido puros e ingênuos para não rirmos de nós mesmos e para que no fim do dia possamos dizer "pelo menos não fui tolo" e assim não ficarmos perplexos antes de apagar a luz. Temos sorrido em público do que não sorriríamos quando ficássemos sozinhos. Temos chamado de fraqueza a nossa candura. Temo-nos temido um ao outro, acima de tudo. E a tudo isso consideramos a vitória nossa de cada dia. Mas eu escapei disso, Lóri, escapei com a ferocidade com que se escapa da peste, Lóri, e esperarei até você também estar mais pronta.

Lóri sempre se espantava de como Ulisses a conhecia. Mas apesar de ele poder compreender, receava sua censura ou de que ele desanimasse e a abandonasse, e nunca lhe dissera que o "mal" muitas vezes voltava: o ar dentro dela tinha então cheiro de poeira molhada. Vai recomeçar, meu Deus? Perguntava-se então. E reunia toda a sua força para parar a dor. Que dor era? A de existir? A de pertencer a alguma coisa desconhecida? A de ter nascido?

E depois, estancada a dor como se não tivesse sequer havido, exausta, após ter nadado quilômetros no universo vazio, ficara ofegante, jogava-se nas areias brilhantes de um planeta, imóvel, de bruços.

Também não dissera a Ulisses de como melhorara a penosa sensação de estar solta o fato de estar solta mesmo: o pai perdendo o grosso da fortuna, ela mudara-se sozinha de Campos para o Rio, comprara o pequeno apartamento onde vivia, sustentada regiamente pela mesada do pai. Com quatro irmãos homens, e ela filha única, o pai lhe mandava o que ela quisesse. Com um terço da fortuna que restara dava para eles viverem como ricos, mas felizmente para ela acabara-se a possibilidade de viajar sem parar pela Europa. Não contara a Ulisses por vergonha: ele era, ao que ela entendera, socialista e não admitiria sem escárnio ou revolta dar-se com ela sem desprezo.

– Por que você veio para o Rio? Não existem escolas primárias em Campos?

– É que eu não queria... não queria me casar, queria certo tipo de liberdade que lá não seria possível sem escândalo, a começar pela minha família, lá tudo se sabe, meu pai me manda mesada porque o dinheiro da escola eu não poderia –

– Quantos amantes você já teve? interrompeu ele.

Ela silenciou. Depois disse:

— Não foram propriamente amantes porque eu não os amava.

— Nas férias, como agora, você não se sente muito sozinha? Antes de mim, quero dizer.

— Alguma companhia eu tenho porque sempre posso conversar um pouco com a empregada antiga que vem por horas arrumar a casa e deixar pronto almoço e jantar. E tem uma cartomante que de vez em quando eu visito.

Ele não riu:

— E de amigas, você não sente falta?

Já que ele não rira, ela pôde dizer:

— Mas a cartomante é minha amiga, ela nem me cobra consulta. E eu estava cansada de viver em companhia de quatro irmãos e de meu pai e de todos os conhecidos e conhecidas. Amiga só tive enquanto estudava. Agora prefiro ficar sozinha.

— Escute, Lóri, você sabe muito bem como conheci você e quero de propósito relembrá-lo: você estava esperando um táxi e eu, depois de olhar muito para você, pois fisicamente você me agradava, simplesmente abordei você com um começo de conversa qualquer sobre a dificuldade de encontrar táxi àquela hora, ofereci-lhe levá-la no meu carro para onde você quisesse, no fim de cinco minutos de rodagem convidei você para um uísque e você sem nenhuma relutância aceitou. Com os seus amantes você foi abordada na rua?

Ela se ofendeu e respondeu dura e sincera:

— Claro que não. Eu não quero falar neles. Eles não tinham importância senão relativa e passageira. E não pergunto sequer se você agora mesmo não tem uma amante.

Ficaram calados. Ele talvez pensando com cautela que era a sua primeira cena de ciúmes. Ela feliz, pensando que essa era a sua primeira cena de ciúmes.

— Quantos amantes você teve? perguntou abruptamente.

Ela fazendo um esforço sobre si mesma disse rápido:

— Cinco.

Ele engoliu a dor e mudou de assunto:

— Mas nas suas viagens é impossível que você nunca tenha estado entre laranjeiras, sol, e flores com abelhas. Não só o frio escuro mas também o resto?

— Não, disse sombria. Essas coisas não são para mim. Sou mulher de cidade grande.

— Em primeiro lugar, Campos não é o que se chama de cidade grande. E depois essas coisas, como símbolo, são para todo o mundo. É porque você não aprendeu a tê-las.

— E isso se aprende? Laranjeiras, sol e abelhas nas flores?

— Aprende-se quando já não se tem como guia forte a natureza de si próprio. Lóri, Lóri, ouça: pode-se aprender tudo, inclusive a amar! E o mais estranho, Lóri, pode-se aprender a ter alegria!

— Diga o que você quer que eu aprenda, disse ela com inesperada ironia. O Cântico dos Cânticos?

— Talvez, por que não? respondera ele mais sério.

— Você diz isso porque está pronto.

— Pronto em todos os sentidos eu nunca estarei, Lóri, eu não me engano.

Eles silenciaram, Ulisses pediu mais uma dose de uísque.

— Por que, perguntou ele, você me dá a impressão de que voluntariamente se separou das pessoas?

— Um dia digo talvez a você, se tiver a coragem de falar muito.

Era raro ele se mostrar claramente mais sério. Lóri reconhecia que ele tinha concentração, intensidade, delicadeza e discrição, embora tudo fosse quase sempre encapado por um tom leve para não mostrar emoção.

— Sabe, Lóri, disse ele agora sorrindo. Depois que encontrei você umas três ou quatro vezes — por Deus, talvez tenha sido exatamente da primeira vez que vi você! – pensei que poderia agir com você com o método de alguns artistas: concebendo e realizando ao mesmo tempo. É que de início pensei ter encontrado uma tela nua e branca, só faltando usar os pincéis. Depois é que descobri que se a tela era nua era também enegrecida por fumaça densa, vinda de algum fogo ruim, e que não seria fácil limpá-la. Não, conceber e realizar é o grande privilégio de alguns. Mas mesmo assim não tenho desistido. Não, continuou ele falando como se ela não estivesse ali, não é mesmo com bons sentimentos que se faz literatura: a vida também não. Mas há algo que não é bom sentimento. É uma delicadeza de vida que inclusive exige a maior coragem para aceitá-la.

Lóri ficou quieta. Percebia que ele pensava alto e que ela não precisava entender. Mas era tão bom ouvir. Ela também quis se fazer ouvir e disse com alguma voluptuosidade na voz, o que nada combinava com ela e fez com que ele erguesse em interrogação as sobrancelhas:

– Estive lendo um dia um filósofo, sabe. Uma vez segui um conselho dele e deu certo. Era mais ou menos isto: é só quando esquecemos todos os nossos conhecimentos é que começamos a saber. Então pensei em você que não fala uma palavra de filosofia comigo e quando estamos juntos, pois é, quando estamos juntos você até parece um sábio que não quer mais ser sábio e até, sabe, até se dá ao luxo de disfarçadamente se angustiar como qualquer um de nós.

Ulisses estava atento, imóvel. Lóri continuou:

– Parece tão fácil à primeira vista seguir conselhos de alguém. Seus conselhos, por exemplo. Já agora ela falava sério:

– Seus conselhos. Mas existe um grande, o maior obstáculo para eu ir adiante: eu mesma. Tenho sido a maior dificuldade no meu caminho. É com enorme esforço que consigo me sobrepor a mim mesma.

Ela jamais falara tantas palavras em seguida. Por isso queria evitar o principal. De repente porém notou que se não dissesse o final, nada teria dito, e falou:

— Sou um monte intransponível no meu próprio caminho. Mas às vezes por uma palavra tua ou por uma palavra lida, de repente tudo se esclarece.

Sim, tudo se esclarecia e ela surgia de dentro de si mesma quase com esplendor.

— Sim, disse Ulisses. Mas você se engana. Eu não dou conselhos a você. Eu simplesmente – eu – eu acho que o que eu faço mesmo é esperar. Esperar talvez que você mesma se aconselhe, não sei, Lóri, juro que não sei, às vezes me parece que estou perdendo tempo, às vezes me parece que pelo contrário, não há modo mais perfeito, embora inquieto, de usar o tempo: o de te esperar. Você sabe rezar?

— O quê? perguntou ela em sobressalto.

— Não rezar o Padre-Nosso, mas pedir a si mesma, pedir o máximo a si mesma?

— Não sei se sei, nunca tentei. Isto é um conselho? perguntou com ironia.

Ele se perturbou:

— Acho que foi. Esqueça o que eu disse.

as ela não esqueceu. Lavava o rosto devagar, penteava-se devagar, já de camisola para dormir. Adiava, adiava. Escovou mais uma vez os dentes. Sua testa estava franzida, sua alma trêmula. Ela sabia que ia tentar rezar e assustava-se. Como se o que fosse pedir a si mesma e ao Deus precisasse de muito cuidado: porque o que pedisse, nisso seria atendida. Foi à geladeira, bebeu um copo de água: agia como se tivesse sido hipnotizada por Ulisses. E ainda um ínfimo movimento de revolta contra o hipnotismo a que parecia ter sido sujeita fazia-a adiar o que viesse.

Pedir? Como é que se pede? E o que se pede?

Pede-se vida?

Pede-se vida.

Mas já não se está tendo vida?

Existe uma mais real.

O que é real?

E ela não sabia como responder. Às cegas teria que pedir. Mas ela queria que, se fosse às cegas, pelo menos entendesse o que pedisse. Ela sabia que não devia pedir o impossível: a resposta não se pede. A grande resposta não nos era dada. É perigoso mexer com a grande resposta. Ela preferia pedir humilde, e não à sua altura que era enorme: Lóri sentia que era um enorme ser humano. E que devia tomar cuidado. Ou não devia? A vida inteira tomara cuidado em não ser grande dentro de si para não ter dor.

Não, não devia pedir mais vida. Por enquanto era perigoso. Ajoelhou-se trêmula junto da cama pois era assim que se rezava e disse baixo, severo, triste, gaguejando sua prece com um pouco de pudor: alivia a minha alma, faze com que eu sinta que Tua mão está dada à minha, faze com que eu sinta que a morte não existe porque na verdade já estamos na eternidade, faze com que eu sinta que amar é não morrer, que a entrega de si mesmo não significa a morte, faze com que eu sinta uma alegria modesta e diária, faze com que eu não Te indague demais, porque a resposta seria tão misteriosa quanto a pergunta, faze com que me lembre de que também não há explicação porque um filho quer o beijo de sua mãe e no entanto ele quer e no entanto o beijo é perfeito, faze com que eu receba o mundo sem receio, pois para esse mundo incompreensível eu fui criada e eu mesma também incompreensível, então é que há uma conexão entre esse mistério do mundo e o nosso, mas essa conexão não é clara para nós enquanto quisermos entendê-la, abençoa-me para que eu viva com alegria o pão que eu como, o sono que durmo, faze com que eu tenha caridade por mim mesma pois senão não poderei sentir que Deus me amou, faze com que eu perca o pudor de desejar que na hora de minha morte haja uma mão humana amada para apertar a minha, amém.

Não era à toa que ela entendia os que buscavam caminho. Como buscava arduamente o seu! E como hoje buscava com sofreguidão e aspereza o seu melhor modo de ser, o seu atalho, já que não ousava mais falar em caminho. Agarrava-se ferozmente à procura de um modo de andar, de um passo certo. Mas o atalho com sombras refrescantes e reflexo de luz entre as árvores, o atalho onde ela fosse finalmente ela, isso só em certo momento indeterminado da prece ela sentira. Mas também sabia de uma coisa: quando estivesse mais pronta, passaria de si para os outros, o seu caminho era os outros. Quando pudesse sentir plenamente o outro estaria salva e pensaria: eis o meu porto de chegada.

Mas antes precisava tocar em si própria, antes precisava tocar no mundo.

da vez seguinte em que se encontraram no terraço do bar, uma semana depois, Ulisses estava com o seu ar moroso e desinteressante. Mas Lóri já o conhecia: este ar vinha de que ele tranquilamente treinava instante por instante um modo de abrir caminho. Se saía desse ar longínquo era para olhá-la com um vago desejo que não parecia querer se tornar mais forte.

Lóri manteve-se em silêncio, deixando que ele bebesse em silêncio, sem olhá-lo. Foi pois com um pequeno susto que o ouviu dirigir-se a ela, e não saberia há quanto tempo ele a contemplara para dizer-lhe:

– Você é tão antiga, Lóri, disse ele e para surpresa dela havia ternura na sua voz. Você é tão antiga, minha flor, que eu deveria lhe dar a beber vinho numa ânfora, disse já sem ternura e chamara-a de "minha flor" como ela o ouvira chamar a secretária dele, da vez em que a haviam encontrado na rua. Era um modo disfarçado de uma falsa camaradagem, assim como Lóri agia em relação a ele com certa secura. Mas havia tenacidade em Ulisses, havia tenacidade em Lóri.

Ulisses agora olhava-a curioso:

— Lóri, você nem ao menos consegue sentir o que há de profunda e arriscada aventura no que nós dois tentamos? Lóri, Lóri! Nós estamos tentando a alegria! Você ao menos sente isso? E sente como nos arriscamos no perigo? Você sente que há mais segurança na dor morna? Ah Lóri, Lóri, você não consegue recuperar, mesmo vagamente, na lembrança da carne, o prazer que pelo menos no berço você deve ter sentido por estar? Por ser? Ou pelo menos outra vez na vida, não importa quando, nem por quê?

Lóri não respondeu, sabia que ele adivinhava que a resposta era negativa.

— Você prefere a dor?

Também a isso ela não respondeu, sabia que ele adivinhava que a resposta seria de novo: não.

— O que é? Para aprender a alegria você precisa de todas as garantias?

Ela ficou em silêncio, porque o tom de Ulisses mudara e em vez de ardente se tornara sardônico e era para feri-la. Ele reclinou-se na cadeira um pouco cansado e disse:

— Você é das que precisam de garantia. Quer saber como eu sou para me aceitar? Vou me fazer conhecer melhor por você, disse com ironia. Olhe, tenho uma alma muito prolixa e uso poucas palavras. Sou irritável e firo facilmente. Também sou muito calmo e perdoo logo. Não esqueço nunca. Mas há poucas coisas de que eu me lembre. Sou paciente mas profundamente colérico, como a maioria dos pacientes. As pessoas nunca me irritam mesmo, certamente porque eu as perdoo de antemão. Gosto muito das pessoas por egoísmo: é que elas se parecem no fundo comigo. Nunca esqueço uma ofensa, o que é uma verdade, mas como pode ser verdade, se as ofensas saem de minha cabeça como se nunca nela tivessem entrado?

Lóri começava a achar que Ulisses zombava dela. E apertou os lábios em cólera. Só que não podia se impedir de querer ouvi-lo, sua curiosidade crescia à medida que, mesmo sabendo que ele brincava, também falava a verdade.

— Tenho uma paz profunda, continuou ele, somente porque ela é profunda e não pode ser sequer atingida por mim mesmo. Se fosse alcançável por mim, eu não teria um minuto de paz. Quanto à minha paz superficial, ela é uma alusão à verdadeira paz. Outra coisa que esqueci é que há outra alusão em mim — a do mundo grande e aberto. Sou professor de Filosofia porque é o que eu mais estudei e no fundo gosto de me ouvir falando sobre o que me interessa. Tenho um senso didático pronunciado que faz com que meus alunos se apaixonem pela matéria e me procurem fora das aulas. Este meu senso didático, que é uma vontade de transmitir, eu também tenho em relação a você, Lóri, se bem que você seja a pior de meus alunos. Bom, apesar de meu ar duro, que aliás vem também do fato de meu nariz ser tão reto, apesar de meu ar duro, sou cheio de muito amor e é isso o que certamente me dá uma grandeza, essa grandeza que você percebe e de que tem medo.

Como se de súbito tivesse notado que falara sério, parou e riu para desfazer tudo o que dissera:

— Meu amor pelo mundo é assim: eu perdoo as pessoas terem um nariz malfeito ou terem lábios finos demais e serem feias — todo erro dos outros e nos outros é uma oportunidade para mim de amar. Veja, não permito que ninguém mande em mim, e no entanto não me incomodo por exemplo de simplesmente seguir o programa traçado na faculdade para o ensino de cada classe.

Ulisses finalmente notou a cólera muda de Lóri. Então disse simples e sincero:

— Bem sei que estava brincando, mas não menti nenhuma vez, tudo o que eu disse é verdade. E se me confessei, não importa, sobretudo se foi a você. Aliás eu me confessaria também a outros, sem nenhum perigo: ninguém pode fazer uso do que os outros são, nem mesmo uso mental, por isso, esse tipo de confissão não é jamais perigoso. Talvez agora você ainda me desconheça mais. O melhor modo de despistar é dizer a verdade, embora eu não tenha tentado nenhuma vez despistar você, Lóri, disse ele.

Com alguma dor então Lóri percebeu que Ulisses, apesar de dizer o contrário, não queria se dar a ela. E ela pagaria com a mesma moeda. Talvez antes de ele falar, ela tivesse a intenção de um dia dar-se, pois sabia que teria de dar a alguém o que ela era, senão o que faria de si? Como morrer antes de dar-se, mesmo em silêncio? Porque no dar-se teria enfim uma testemunha de si própria. E porque Ulisses também teria pensado na morte, ele disse:

— Antes de morrer se vive, Lóri. É uma naturalidade morrer, transformar-se, transmutar-se. Nunca se inventou nada além de morrer. Como nunca se inventou um modo diferente de amor de corpo que, no entanto, é estranho e cego e no entanto cada pessoa, sem saber da outra, reinventa a cópia. Morrer deve ser um gozo natural. Depois de morrer não se vai ao paraíso, morrer é que é o paraíso.

Ficaram em silêncio muito tempo, um silêncio que não pesava. Até que ele, como se quisesse lhe dar alguma coisa, disse:

— Olhe para esse pardal, Lóri — mandou ele — não para de ciscar o chão que aparentemente está vazio mas com certeza seus olhos veem a comida.

Obediente, ela olhou. E de súbito eis que o pardal alçou voo, e na surpresa Lóri esqueceu-se de si própria e disse como uma criança para Ulisses:

– É tão bonito que voa!

Falara com a inocência que usava nas aulas com as crianças, quando não temia ser julgada. Inquieta então olhou rápido para o lado de Ulisses. Ele a olhava. Com um susto Lóri notou: era um olhar... de amor?

Uma semana depois Lóri ainda pensava nesse último encontro. Não vira mais Ulisses, nem ele lhe telefonara. Há uma semana que ela bordava uma toalha de mesa, e com as mãos ocupadas e destras conseguia passar os longos dias das férias escolares. Bordava, bordava. Às vezes, ao cair da noite, ela se enfeitava demoradamente e ia ao cinema.

Mas sentia uma pressa por dentro, sentia pressa: havia alguma coisa que ela precisava saber e experimentar, e não estava sabendo e nunca soubera. E o tempo de algum modo estava ficando curto, não demorava que voltassem a funcionar as escolas. Temia que Ulisses se cansasse daquela sua resistência paquidérmica em deixar o mundo entrar nela, e desistisse. E o desespero a tomava. Sabia que ainda não estava pronta para dar-se a ele nem a ninguém, e nesse ínterim talvez ele a largasse. O desespero numa dessas tardes ensolaradas cresceu. De repente deixou-se deitar na cama de bruços, com o rosto quase enterrado no travesseiro: a dor voltara.

A dor voltara quase fisicamente, e ela pensou em rezar. Mas logo descobriu que não queria falar com o Deus. Talvez nunca mais. Lembrou-se de que uma vez, de férias numa fazenda, deitara-se de bruços numa clareira do matagal, encostando o peito na terra, os membros na terra, só o rosto virado para o chão era protegido por um dos braços dobrados.

A essa lembrança, que visualizou de novo, pensou que de agora em diante era só isso o que ela queria do Deus: encostar o peito nele e não dizer uma palavra. Mas se isso era possível, só seria depois de morta. Enquanto estivesse viva teria que rezar, o que não queria mais, ou então falar com os humanos que respondiam e representavam talvez Deus. Ulisses sobretudo.

Embora, por deformação profissional, Ulisses ensinasse demais. Não tinha ar doutoral, parecia mais com um estudante que fosse mais velho, e que suas palavras não vinham de livros e sim de uma vida que ela adivinhava plena. O que não impedia que ele fosse sem querer um pouco pedante. Irritava-a como ele queria parecer... o quê? Superior? Ulisses, o sábio Ulisses, algum dia ia cair como uma estátua de seu pedestal. Lóri sabia que pensava tudo isso por raiva, de dor, com o rosto enterrado no travesseiro.

Não sabia mais de nada. E apesar de se sentir agora muda em relação ao Deus, percebia em si a vontade intensa quase pungente de se lamentar, de acusar, sobretudo de reivindicar. Parecia-lhe que já fora tão experimentada que agora lhe deveria chegar, dentro da lógica romântica dos humanos, a hora de receber a paz. Já nem ousava pensar em alegria, que ela não sabia propriamente como era, mas em paz. O que seria uma alegria? Ainda teria capacidade de reconhecê-la, se viesse? Ou já era tarde demais para que soubesse distingui-la. Pois ela adivinhava que a alegria viria talvez como um som simples quase aquém do nível de audição. Então ela, que nunca mais falara com o Deus cósmico, disse-Lhe em súbita cólera: eu nada Vos dou porque nada me destes.

Porque ela parecia saber que existia algo – o quê – que os humanos davam para o Deus – como? E ela nem mesmo queria mais saber o que era. Só que sentiu que o Deus também precisava dos humanos – e então negou-se a Ele.

Seria talvez possível que a um certo ponto da vida o mundo se tornasse óbvio? Tinha medo de perder a vida da surpresa contínua se chegasse a esse ponto, e no entanto ele se tornaria uma fonte de paz.

Ou não seria paz o que ela queria? Sem poder, no entanto, impedir de quase já usufruir o que imaginava que acontecia depois de morrer – como encostara o corpo na terra, encostar-se toda até ser absorvida pelo Deus. Já quis estar morta, não porque não quisesse a vida – a vida que ainda não lhe dera o seu segredo – mas porque ansiava por essa integração sem palavras. Mas a palavra de Deus era de tal mudez completa que aquele silêncio era Ele próprio. Também não queria mais entrar numa igreja, nem que fosse apenas para respirar a penumbra fresca e recolhida.

Ela agora estava só para a dor que tivesse que vir. Sabia que, se estava só e para a dor que viesse – mas isso não vinha da humildade de uma aceitação ou de uma coragem. Mas como um desafio ao Deus com que agora, por desilusão e solidão, ela parecia querer medir forças. Tu me criaste através de um pai e de uma mãe e depois me largaste no deserto. Em vingança estranha, pois era contra si mesma, contra uma criança do Deus, era no deserto então que ela ficaria, e sem pedir água para beber. Quem sofreria mais com isso era ela mesma, mas o principal é que com o seu sofrimento voluntário ofendia o Deus e então pouco lhe importava a dor.

Mas seu Deus não lhe servia: fora feito à sua própria imagem, parecia-se demais com ela, tinha alguma ansiedade nas soluções – só que Nele era ansiedade criadora – a mesma severidade que era dela. E quando Ele era bom, o era igual a ela se tivesse bondade. O verdadeiro Deus, não feito à sua imagem e semelhança, era por isso totalmente incompreendido por ela, e ela não sabia se Ele poderia compreendê-la. O seu Deus até agora fora terrestre, e não era mais. De agora em diante, se quisesse rezar, seria como rezar às cegas ao cosmos e ao Nada. E sobretudo não podia mais pedir ao Deus. Descobriu que até agora rezara para um eu-mesmo, só que poderoso, engrandecido e onipotente, chamando-o de o Deus e assim como uma criança via o pai como a figura de um rei.

Depois Lóri despertou um pouco para uma realidade mais objetiva em torno de si, mudou de posição de cabeça sobre o braço dobrado. Pensou que há minutos lutava com o Deus, cansada, exausta, murmurou sem timbre de voz: não entendo nada. Era uma verdade tão indubitável que tanto seu corpo como sua alma vergaram-se ligeiramente e assim ela repousou um pouco. Naquele instante era apenas uma das mulheres do mundo, e não um eu, e integrava-se como para uma marcha eterna e sem objetivo de homens e mulheres em peregrinação para o Nada. O que era um Nada era exatamente o Tudo.

Havia desmistificado uma das poucas grandezas de que vivia.

Sabia que por enquanto doía muito e que depois ainda doeria mais pois sofreria a falta d'Aquele que, mesmo se não existisse, ela amava porque era uma célula dele. E talvez viesse a se salvar: porque a angústia era a incapacidade de enfim sentir a dor. Pensou: eu nunca tive a minha dor. Por falta de grandeza, sofrera suportavelmente tudo o que nela havia a sofrer. Mas agora sozinha, amando um Deus que não existia mais, talvez tocasse enfim na dor que era dela. Angústia também era o medo de sentir enfim a dor.

Já estava com saudade do que fora: nem mesmo à Igreja de Santa Luzia, que era o refúgio no calor entorpecente da cidade, ela iria mais. Lembrava-se da última vez que entrara lá e sentara-se na sombra límpida entre santos. Pensara então: "Cristo foi Cristo para os outros, mas quem? Quem fora um Cristo para o Cristo?" Ele tivera que ir diretamente ao Deus. E ela, sentada então no banco da igreja, quisera também poder ir direto à Onipotência, sem ser através da condição humana de Cristo que era também a sua e a dos outros. E, oh Deus, não querer ir a Ele através da condição misericordiosa de Cristo talvez não passasse de novo do medo de amar. Levantou-se e tornou a bordar.

Foi então que o telefonou tocou. Mesmo antes de atender ela sabia que devia ser Ulisses. Depositou o bordado numa cadeira e deixou o telefone tocar um pouco mais, não queria mostrar avidez.

Era ele, sim. E como se não se tivesse passado uma semana, disse que estava na piscina do clube e por que é que ela não vinha encontrá-lo, era só dizer na portaria que era convidada dele. Não era na piscina que ela queria vê-lo, mas o medo de perdê-lo fez com que ela aquiescesse, embora temendo o momento de se verem quase nus.

Uma hora e meia depois – o tempo de comprar um maiô novo – ela já estava de roupa mudada na cabine, e sem coragem de sair. Envolveu-se no roupão e foi encontrá-lo sentado à borda da piscina. Procurou disfarçar a dura relutância em ficar praticamente nua, afinal tirou o roupão, ela nem sequer o olhava. Sentaram-se sem falar, ele bebia um gim-tônica.

Muito tempo se passara ou talvez não muito mas para ela o silêncio estava se tornando intolerável, enquanto para disfarçar, balançava os pés dentro da água verde. Até que enfim ele falou e sem rudeza disse:

– Veja aquela moça ali, por exemplo, a de maiô vermelho. Veja como anda com um orgulho natural de quem tem um corpo. Você, além de esconder o que se chama alma, tem vergonha de ter um corpo.

Ela não respondeu, mas, atingida, tornou-se imperceptivelmente mais rígida. Depois, como sentiu que ele não ia dizer mais nada, pôde aos poucos relaxar os músculos. Pensou – tanto quanto lhe era possível pensar estando de maiô na frente dele – pensou: como é que explicaria a ele, mesmo que quisesse, e não queria, o longo caminho andado até chegar àquele momento possível em que suas pernas se balançavam dentro da piscina. E ele ainda achava pouco. Como explicar que, do longe de onde de dentro de si ela vinha, já era uma vitória estar semivivendo. Porque enfim, uma vez quebrado o susto da nudez diante dele, ela estava respirando de leve, já semivivendo.

A um movimento seu, que era o de jogar os cabelos para trás, viu num relance o rosto dele, percebeu que ele a olhava e que a desejava. Sentiu então um pudor que já diferia do que ele chamara de pudor de ter um corpo. Era um pudor de quem também deseja, assim como Lóri desejara colar o peito e os membros no Deus. Ao perceber muito claro o próprio desejo, tornou-se arisca e dura, e ficaram em silêncio o resto da tarde. Ela foi se tranquilizando e perdeu o medo maior que tinha: o de perdê-lo por se atardar tanto.

Surpreendeu seu próprio pensamento: então ela planejava de fato um dia ser sua? Pois enganava-se sempre pensando que se tratava de uma espécie estranha de amizade e que assim continuaria sempre, até murchar como uma fruta que não é colhida a tempo e cai apodrecida da árvore para o chão.

Os gritos de alegria e sustos das crianças já não se ouviam mais: era bem mais tarde e o sol tinha enfraquecido, a piscina vazia. Há quanto tempo estavam em silêncio? A solidão dos dois só era entrecortada pela chegada silenciosa e pressurosa do garçom que vinha imediatamente encher o copo de Ulisses mal esse esvaziava-se.

O silêncio do entardecer. Ela olhou para Ulisses, e este olhava de olhos semicerrados para o longe. Ela olhou-o. E àquela hora vinha dele uma irradiação luminosa. Depois Lóri percebeu que esse fulgor eram os reflexos do sol antes de definitivamente morrer. Olhou para as mesinhas com para-sol dispostas em torno da piscina: pareciam sobrepairar na homogeneidade do cosmo. Tudo era infinito, nada tinha começo nem fim: assim era a eternidade cósmica. Daí a um instante a visão da realidade se desfazia, fora apenas um átimo de segundo, a homogeneidade desaparecia e os olhos se perdiam numa multiplicidade de tonalidades ainda surpreendentes: à visão aguda e instantânea seguira-se algo mais reconhecível na Terra. Quanto a Ulisses, nessas novas cores que enfim Lóri tinha a capacidade de ver, quanto a Ulisses estava agora a um tempo sólido e transparente, o que o enriquecia de ressonâncias e esplendor. Podia-se chamá-lo de um homem belo.

Pela primeira vez então olhou-o sob o ponto de vista de beleza estritamente masculina, e viu que havia nele uma calma virilidade. Sob a nova luz, Ulisses estava irreal e no entanto verossímil. Irreal pela sua espécie de beleza, que agora flutuava com as flutuações últimas do sol. Verossímil porque bastaria estender a mão e, no que esta o tocasse, encontraria a resistência do que é sólido. Lóri teve receio de que lhe poderia acontecer a ela, já que era uma adoradora dos homens.

Ulisses voltou o rosto para ela e descobriu que era examinado. No entanto, à descoberta, foi Lóri que enrubesceu, desviando os olhos.

— Não tenha medo, disse ele sorrindo, não tenha medo de meu silêncio... Sou um louco mas guiado dentro de mim por uma espécie de grande sábio...

Ele não a entendera, pois: pensara que ela estava perturbada pelo silêncio. Lóri não respondeu. Já estava habituada ao tom didático de Ulisses que na verdade não era pedante. Relanceou-o: ele estava tão calmo como se fosse ela apenas que sofresse e ele nunca tivesse conhecido a dor de não ter futuro senão o de continuar existindo. Ele não a entendera, e isso alegrou-a. Pois Lóri descobriu o que estava acontecendo com enorme delicadeza: aquilo que ela julgara ser apenas o seu olhar direto para Ulisses e para a realidade dele fora o primeiro passo assustador para alguma coisa. Ou ele percebera? Percebera, sentiu ela, mas sem saber do que se tratava, sentira que ela avançara e então quisera assegurá-la com a segurança de retomar o silêncio.

Pois ela estava como na sua primeira infância e sem medo de que a angústia sobreviesse: estava em encantamento pelas cores orientais do Sol que desenhava figuras góticas nas sombras. Pois que o Deus foi nascido da Natureza e por sua vez Ele interferiu nela. As últimas claridades ondulavam as águas paradas e verdes da piscina. Descobrindo o sublime no trivial, o invisível sob o tangível – ela própria toda desarmada como se tivesse naquele momento sabido que sua capacidade de descobrir os segredos da vida natural ainda estivesse intacta. E desarmada também pela leve angústia que lhe veio ao sentir que podia descobrir outros segredos, talvez um mortal. Mas sabia que era ambiciosa: desprezaria o sucesso fácil e quereria, mesmo com medo, subir cada vez mais alto ou descer cada vez mais baixo.

Ulisses falou:

— Bem tranquila, Lóri, vá bem tranquila. Mas cuidado. É melhor não falar, não me dizer. Há um grande silêncio dentro de mim. E esse silêncio tem sido a fonte de minhas palavras. E do silêncio tem vindo o que é mais precioso que tudo: o próprio silêncio.

— Por que é que você olha tão demoradamente cada pessoa?

Ela corou:

— Não sabia que você estava me observando. Não é por nada que olho: é que eu gosto de ver as pessoas sendo.

Então estranhou-se a si própria e isso parecia levá-la a uma vertigem. É que ela própria, por estranhar-se, estava sendo. Mesmo arriscando que Ulisses não percebesse, disse-lhe bem baixo:

— Estou sendo...

— Como? perguntou ele àquele sussurro de voz de Lóri.

— Nada, não importa.

— Importa sim. Quer fazer o favor de repetir?

Ela se tornou mais humilde, porque já perdera o estranho e encantado momento em que estivera sendo:

— Eu disse para você — Ulisses, estou sendo.

Ele examinou-a e por um momento estranhou-a, aquele rosto familiar de mulher. Ele se estranhou, e entendeu Lóri: ele estava sendo.

Ficaram calados como se os dois pela primeira vez se tivessem encontrado. Estavam sendo.

— Eu também, disse baixo Ulisses.

Ambos sabiam que esse era um grande passo dado na aprendizagem. E não havia perigo de gastar este sentimento com medo de perdê-lo, porque ser era infinito, de um infinito de ondas do mar. Eu estou sendo, dizia a árvore do jardim. Eu estou sendo, disse o garçom que se aproximou. Eu estou sendo, disse a água verde na piscina. Eu estou sendo, disse o mar azul do Mediterrâneo. Eu estou sendo, disse o nosso mar verde e traiçoeiro. Eu estou sendo, disse a aranha e imobilizou a presa com o seu veneno. Eu estou sendo, disse uma criança que escorregara nos ladrilhos do chão e gritara assustada: mamãe! Eu estou sendo, disse a mãe que tinha um filho que escorregava nos ladrilhos que circundavam a piscina. Mas a luz se aquietava para a noite e eles estranharam, a luz crepuscular. Lóri estava fascinada pelo encontro de si mesma, ela se fascinava e quase se hipnotizava.

Ali estavam. Até que a luz que precedia o crepúsculo foi se esgarçando entre penumbras e maiores transparências, e o céu ameaçava uma revelação. A luz se espectralizou em quase ausência, sem que aquela espécie de neutralidade fosse ainda tocada pela escuridão: não parecia crepúsculo e sim o mais imponderável de um amanhecer. Tudo aquilo era absolutamente impossível, por isso é que Lóri sabia que via. Se fosse o razoável, ela de nada saberia.

E quando tudo começou a ficar inacreditável, a noite desceu.

Lóri, pela primeira vez na sua vida, sentiu uma força que mais parecia uma ameaça contra o que ela fora até então. Ela então falou sua alma para Ulisses:

– Um dia será o mundo com sua impersonalidade soberba versus a minha extrema individualidade de pessoa mas seremos um só.

Olhou para Ulisses com a humildade que de repente sentia e viu com surpresa a surpresa dele. Só então ela se surpreendeu consigo própria. Os dois se olharam em silêncio. Ela parecia pedir socorro contra o que de algum modo involuntariamente dissera. E ele com os olhos úmidos quis que ela não fugisse e falou:

– Repita o que você disse, Lóri.

– Não sei mais.

– Mas eu sei, eu vou saber sempre. Você literalmente disse: um dia será o mundo com sua impersonalidade soberba versus a minha extrema individualidade de pessoa mas seremos um só.

– Sim.

Lóri estava suavemente espantada. Então isso era a felicidade. De início se sentiu vazia. Depois seus olhos ficaram úmidos: era felicidade, mas como sou mortal, como o amor pelo mundo me transcende. O amor pela vida mortal a assassinava docemente, aos poucos. E o que é que eu faço? Que faço da felicidade? Que faço dessa paz estranha e aguda, que já está começando a me doer como uma angústia, como um grande silêncio de espaços? A quem dou minha felicidade, que já está começando a me rasgar um pouco e me assusta. Não, não quero ser feliz. Prefiro a mediocridade. Ah, milhares de pessoas não têm coragem de pelo menos prolongar-se um pouco mais nessa coisa desconhecida que é sentir-se feliz e preferem a mediocridade. Ela se despediu de Ulisses quase correndo: ele era o perigo.

Nessa noite Lóri ficou de vigília. Era uma noite muito bonita: parecia com o mundo. O espaço escuro estava todo estrelado, o céu em eterna muda vigília. E a terra embaixo com suas montanhas e seus mares.

Lóri estava triste. Não era uma tristeza difícil. Era mais como uma tristeza de saudade. Ela estava só. Com a eternidade à sua frente e atrás dela. O humano é só.

Ela quis retroceder. Mas sentia que era tarde demais: uma vez dado o primeiro passo este era irreversível, e empurrava-a para mais, mais, mais! O que quero, meu Deus. É que ela queria tudo.

Como se passasse do homem-macaco ao pitecantropus erectus. E então não havia como retroceder: a luta pela sobrevivência entre mistérios. E o que o ser humano mais aspira é tornar-se um ser humano.

Já que não tinha sono, foi à cozinha esquentar o café. Pôs açúcar demais na xícara e o café ficou horrível. Isto levou-a a uma realidade mais cotidiana. Descansou um pouco de ser.

Ouvia o barulho das ondas do mar de Ipanema se quebrando na praia. Era uma noite diferente, porque enquanto Lóri pensava e duvidava, os outros dormiam. Foi à janela, olhou a rua com seus raros postes de iluminação e o cheiro mais forte do mar. Estava escuro para Lóri. Tão escuro. Pensou em pessoas conhecidas: estavam dormindo ou se divertindo. Algumas estavam bebendo uísque. Seu café então se transformou em mais adocicado ainda, em mais impossível ainda. E a escuridão dos solitários se tornou tão maior.

Estava caindo numa tristeza sem dor. Não era mau. Fazia parte, com certeza. No dia seguinte provavelmente teria alguma alegria, também sem grandes êxtases, só um pouco de alegria, e isto também não era mau.

Era assim que ela tentava compactuar com a mediocridade de viver.

Mas era tarde: ela já ansiava por novos êxtases de alegria ou de dor. Tinha era que ter tudo o que o mais humano dos humanos tinha. Mesmo que fosse a dor, ela a suportaria, sem medo novamente de querer morrer. Suportaria tudo. Contanto que lhe dessem tudo.

Não. Ninguém lhe daria. Tinha que ser ela própria a procurar ter. Inquieta, andava de um lado para outro do apartamento, sem lugar onde quisesse se sentar. Seu anjo da guarda a abandonara. Era ela mesma que tinha que ser sua própria guardiã.

E tinha agora a responsabilidade de ser ela mesma. Nesse mundo de escolhas, ela parecia ter escolhido.

Foi de novo à janela: viu a paisagem que lhe era familiar durante o dia mas estranha durante a noite. Aquela alta sombra escura e movente e estremecente era a árvore que de dia faiscava de sol nas folhas. Agora estas estremeciam ao vento que arrastava papéis rasgados pelo meio-fio, fazendo-os quase voar. Ventava muito, e Lóri temeu que de manhã chovesse e ela não pudesse fazer o que pretendia: ir à praia. Sabia no entanto que mesmo que chovesse ela iria. Era de Campos, terra sem mar, e nunca chegara a pegar o hábito de ir à praia que ficava tão próxima de seu apartamento.

Sem sentir, adormeceu sentada numa das poltronas. E imediatamente sonhou que Ulisses nessa mesma noite estava com alguma outra mulher. O ciúme acordou-a em sobressalto. Também isto ela iria sofrer? Sim, também o ciúme, também a cólera, também tudo.

Ainda era noite, devia ter dormido por alguns minutos apenas. Não se sentia porém, cansada: estava alerta.

Então havia alguma coisa que se podia aprender... o quê? Aos poucos saberia, certamente. Lóri queria aprender, não sabia por onde começar e tinha também pudor. Como eles haviam estado na piscina e lá, não somente soubera ver pela primeira vez a mutação feérica e ao mesmo tempo opaca do sol, como sentira o mundo, então iria experimentar o mundo sozinha para ver como era. Mas dessa vez não na piscina, onde encontraria gente, mas no mar, em hora em que ninguém aparecia.

Adormeceu de novo e dessa vez profundamente pois quando com uma espécie de sobressalto acordara já era dia. Olhou o relógio: eram cinco e dez da manhã clara e límpida. A praia ainda estaria deserta e ela ia aprender o quê? Iria como para o nada.

Vestiu o maiô e o roupão, e em jejum mesmo caminhou até a praia. Estava tão fresco e bom na rua! Onde não passava ninguém ainda, senão ao longe a carroça do leiteiro. Continuou a andar e a olhar, olhar, olhar, vendo. Era um corpo a corpo consigo mesma dessa vez. Escura, machucada, cega

– como achar nesse corpo a corpo um diamante diminuto mas que fosse feérico, tão feérico como imaginava que deveriam ser os prazeres. Mesmo que não os achasse agora, ela sabia, sua exigência se havia tornado infatigável. Ia perder ou ganhar? Mas continuaria seu corpo a corpo com a vida. Nem seria com a sua própria vida, mas com a vida. Alguma coisa se desencadeara nela, enfim.

E aí estava ele, o mar.

Aí estava o mar, a mais ininteligível das existências não humanas. E ali estava a mulher, de pé, o mais ininteligível dos seres vivos. Como o ser humano fizera um dia uma pergunta sobre si mesmo, tornara-se o mais ininteligível dos seres onde circulava sangue. Ela e o mar.

Só poderia haver um encontro de seus mistérios se um se entregasse ao outro: a entrega de dois mundos incognoscíveis feita com a confiança com que se entregariam duas compreensões.

Lóri olhava o mar, era o que podia fazer. Ele só lhe era delimitado pela linha do horizonte, isto é, pela sua incapacidade humana de ver a curvatura da Terra.

Deviam ser seis horas da manhã. O cão livre hesitava na praia, o cão negro. Por que é que um cão é tão livre? Porque ele é o mistério vivo que não se indaga. A mulher hesita porque vai entrar.

Seu corpo se consola de sua própria exiguidade em relação à vastidão do mar porque é a exiguidade do corpo que o permite tornar-se quente e delimitado, e o que a tornava pobre e livre gente, com sua parte de liberdade de cão nas areias. Esse corpo entrará no ilimitado frio que sem raiva ruge no silêncio da madrugada.

A mulher não está sabendo: mas está cumprindo uma coragem. Com a praia vazia nessa hora, ela não tem o exemplo de outros humanos que transformam a entrada no mar em simples jogo leviano de viver. Lóri está sozinha. O mar salgado não é sozinho porque é salgado e grande, e isso é uma realização da Natureza. A coragem de Lóri é a de, não se conhecendo, no entanto prosseguir, e agir sem se conhecer exige coragem.

Vai entrando. A água salgadíssima é de um frio que lhe arrepia e agride em ritual as pernas.

Mas uma alegria fatal – a alegria é uma fatalidade – já a tomou, embora nem lhe ocorra sorrir. Pelo contrário, está muito séria. O cheiro é de uma maresia tonteante que a desperta de seu mais adormecido sono secular.

E agora está alerta, mesmo sem pensar, como um pescador está alerta sem pensar. A mulher é agora uma compacta e uma leve e uma aguda – e abre caminho na gelidez que, líquida, se opõe a ela, e no entanto a deixa entrar, como no amor em que a oposição pode ser um pedido secreto.

O caminho lento aumenta sua coragem secreta – e de repente ela se deixa cobrir pela primeira onda! O sal, o iodo, tudo líquido deixam-na por uns instantes cega, toda escorrendo – espantada de pé, fertilizada.

Agora que o corpo todo está molhado e dos cabelos escorre água, agora o frio se transforma em frígido. Avançando, ela abre as águas do mundo pelo meio. Já não precisa de coragem, agora já é antiga no ritual retomado que abandonara há milênios. Abaixa a cabeça dentro do brilho do mar, e retira uma cabeleira que sai escorrendo toda sobre os olhos salgados que ardem. Brinca com a mão na água, pausada, os cabelos ao sol quase imediatamente já estão se endurecendo de sal. Com a concha das mãos e com a altivez dos que nunca darão explicação nem a eles mesmos: com a concha das mãos cheias de água, bebe-a em goles grandes, bons para a saúde de um corpo.

E era isso o que estava lhe faltando: o mar por dentro como o líquido espesso de um homem.

Agora ela está toda igual a si mesma. A garganta alimentada se constringe pelo sal, os olhos avermelham-se pelo sal que seca, as ondas lhe batem e voltam, lhe batem e voltam pois ela é um anteparo compacto.

Mergulha de novo, de novo bebe mais água, agora sem sofreguidão pois já conhece e já tem um ritmo de vida no mar. Ela é a amante que não teme pois que sabe que terá tudo de novo.

O sol se abre mais e arrepia-a ao secá-la, ela mergulha de novo: está cada vez menos sôfrega e menos aguda. Agora sabe o que quer: quer ficar de pé parada no mar. Assim fica, pois. Como contra os costados de um navio, a água bate, volta, bate, volta. A mulher não recebe transmissões nem transmite. Não precisa de comunicação.

Depois caminha dentro da água de volta à praia, e as ondas empurram-na suavemente ajudando-a a sair. Não está caminhando sobre as águas – ah nunca faria isso depois que há milênios já haviam andado sobre as águas – mas ninguém lhe tira isso: caminhar dentro das águas. Às vezes o mar lhe opõe resistência à sua saída puxando-a com força para trás, mas então a proa da mulher avança um pouco mais dura e áspera.

E agora pisa na areia. Sabe que está brilhando de água, e sal e sol. Mesmo que o esqueça, nunca poderá perder tudo isso. De algum modo obscuro seus cabelos escorridos são de náufrago. Porque sabe – sabe que fez um perigo. Um perigo tão antigo quanto o ser humano.

Lóri passara da religião de sua infância para uma não religião e agora passara para algo mais amplo: chegara ao ponto de acreditar num Deus tão vasto que ele era o mundo com suas galáxias: isso ela vira no dia anterior ao entrar no mar deserto sozinha. E por causa da vastidão impessoal era um Deus para o qual não se podia implorar: podia-se era agregar-se a ele e ser grande também.

Em compensação, já que não podia na dor deixar de implorar, aprendera de um dia para outro a implorar misericórdia e força a si mesma, pois ela não era tão vasta nem impessoal nem inalcançável. E obtinha a misericórdia o bastante pelo menos para retomar o fôlego.

Sua dor de vida agora tomara a forma de não poder mais esperar sem angústias o telefonema de Ulisses. Ela própria só lhe telefonara algumas vezes.

Dessa vez estava mais ansiosa ainda para encontrá-lo, queria que de algum modo ele soubesse de seu banho de mar de madrugada. Mas o telefone estava mudo. E Lóri tinha medo de, por falta de comunicação, perder os passos que avançara.

Era o dia em que haveria o coquetel da Diretoria dos Cursos Primários, no Museu de Arte Moderna, antes de recomeçarem as aulas. Não iria, esperaria pelo telefonema possível de Ulisses. Mas as horas se passavam, e ela intuiu que ele não lhe telefonaria. Lembrou-se de que fora num coquetel que encontrara um homem que viera a ser o seu amante por alguns meses. E pensou que talvez devesse ir a esse coquetel e "arranjar" outro homem para libertar-se da ideia de Ulisses.

Sentia que a vida lhe fugia de novo por entre os dedos. Na sua humildade esquecia que ela mesma era fonte de vida e de criação. Então saía pouco, não aceitava convites. Não era mulher de perceber sempre quando um homem estava interessado nela a menos que ele o dissesse – então se surpreendia e aceitava.

Telefonou antes para a sua amiga cartomante que a pôs em brios. Como então ela, uma mulher feita, era tão humilde? Como é que não percebia que vários homens a queriam? Como não percebia que devia, dentro de sua própria dignidade, ter um caso de amor?

– Naquela festa de Maria, disse-lhe a cartomante, eu te vi entrar na sala onde todos os que ali estavam eram teus conhecidos. E nenhum dos presentes, por um acaso, chegava a teus pés em matéria de talento didático, em matéria de compreensão intuitiva, e mesmo de graça feminina. E no entanto você entrou tímida como ausente, como uma corça de cabeça baixa.

– Mas é que..., tentou Lóri defender-se, é que eu me sinto tão... tão nada.

– Não é o que as cartas dizem. Você precisa andar de cabeça levantada, você tem que sofrer porque você é diferente dos outros – cosmicamente diferente, é assim que dizem as tuas cartas, então aceite que você não pode ter a vida burguesa dos outros e vá hoje ao coquetel, e entre na sala com tua cabeça bem levantada.

– Mas há tanto tempo que não vou mais que perdi a prática. E entrar sozinha numa sala cheia de gente? Não seria melhor eu combinar a ida com uma amiga?

– Não. Você não precisa de companhia para ir, você mesma é bastante.

O que sua amiga lhe dissera, pensou ao desligar o telefone, combinava com a atitude nova que desejava ter desde que entrara no mar, não, não, desde que estivera na piscina com Ulisses. Então corajosamente não combinou a ida à reunião com nenhum professor ou professora – arriscar-se-ia toda só.

Vestiu um vestido mais ou menos novo, pronta que queria estar para encontrar algum homem, mas a coragem não vinha. Então, sem entender o que fazia – só o entendeu depois – pintou demais os olhos e demais a boca até que seu rosto branco de pó parecia uma máscara: ela estava pondo sobre si mesma alguém outro: esse alguém era fantasticamente desinibido, era vaidoso, tinha orgulho de si mesmo. Esse alguém era exatamente o que ela não era.

Na hora de sair de casa, fraquejou: não estaria exigindo demais de si mesma? Não seria uma bravata ir sozinha? Toda pronta, com uma máscara de pintura no rosto – ah "persona", como não te usar e ser! – sem coragem, sentou-se na poltrona de sua sala tão conhecida e seu coração pedia para ela não ir. Parecia prever que ia se machucar muito e ela não era masoquista. Enfim apagou o cigarro-da-coragem, levantou-se e foi.

Pareceu-lhe que as torturas de uma pessoa tímida jamais tinham sido completamente descritas – no táxi que rolava ela morria um pouco.

E de repente ei-la diante de um salão descomunal de grande com muitas pessoas, talvez, mas pareciam poucas dentro do espaço enorme onde como um ritual se processava o coquetel.

Quanto tempo suportou de cabeça falsamente erguida? A máscara a incomodava, ela sabia ainda por cima que era mais bonita sem pintura. Mas sem pintura seria a nudez da alma. E ela ainda não podia se arriscar nem se dar a esse luxo.

Falava sorrindo com um, falava sorrindo com outro. Mas como em todos os coquetéis, nesse era impossível a conversa e, quando ela percebia, estava de novo sozinha. Viu dois homens que tinham sido seus amantes, falaram-se palavras vãs. E viu com dor que não os desejava mais. Preferiria sofrer de amor do que sentir-se indiferente. Mas não estava indiferente: estava muito emocionada, há tanto tempo ela não via gente. Não sabia o que fazer: queria ir embora como quem soluça. Mas manteve a bravata e ficou mais tempo.

Até que sentiu que não suportava mais manter a cabeça de pé, apesar dos dois uísques que tomara. Mas como atravessar a enorme extensão até a porta? Sozinha, como uma fugida? Viu que chegara ao impasse de si mesma. Então, em meias palavras, confessou seu drama a uma das professoras, disse-lhe que não queria sair sozinha e a moça, entendendo, levou-a até a porta.

E no escuro daquela noite que já prenunciava o outono Lóri era uma mulher infeliz. Sim, era diferente. Mas sim, era tímida. Sim, era supersensível. Sim, vira dois homens que tinham sido seus amantes e agora eram apenas semiamigos. O escuro da noite outonal onde frescamente o vento soprava balançando com delicadeza os ramos pesados das árvores. O perfume da noite. Sempre soubera sentir o cheiro da natureza. Atravessou com algum prazer – o único da festa – o viaduto de... (como é o nome?). Achou finalmente um táxi onde se sentou quase em lágrimas de alívio, lembrando-se de que em Paris lhe acontecera o mesmo porém pior ainda, pois agora estava mais enraizada na terra.

O modo como o chofer olhou-a fê-la adivinhar: ela estava tão pintada que ele provavelmente tomara-a como uma prostituta. "Persona." Lóri tinha pouca memória, não sabia por isso se era no antigo teatro grego ou romano que os atores, antes de entrar em cena, pregavam ao rosto uma máscara que representava pela expressão o que o papel de cada um deles iria exprimir. Lóri bem sabia que uma das qualidades de um ator estava nas mutações sensíveis do rosto, e que a máscara as esconderia. Por que então lhe agradava tanto a ideia de atores entrarem no palco sem rosto próprio? Quem sabe, ela achava que a máscara era um dar-se tão importante quanto o dar-se pela dor do rosto. Inclusive os adolescentes, que eram de rosto puro, à medida que iam vivendo fabricavam a própria máscara. E com muita dor. Porque saber que de então em diante se vai passar a representar um papel que era de uma surpresa amedrontadora. Era a liberdade horrível de não ser. E a hora da escolha.

Também Lóri usava a máscara de palhaço da pintura excessiva. Aquela mesma que nos partos da adolescência se escolhia para não se ficar desnudo para o resto da luta. Não, não é que se fizesse mal em deixar o próprio rosto exposto à sensibilidade. Mas é que esse rosto que estivesse nu poderia, ao ferir-se, fechar-se sozinho em súbita máscara involuntária e terrível: era pois menos perigoso escolher, antes que isso fatalmente acontecesse, escolher sozinha ser uma "persona". Escolher a própria máscara era o primeiro gesto voluntário humano. E solitário. Mas quando enfim se afivelava a máscara daquilo que se escolhera para representar-se e representar o mundo, o corpo ganhava uma nova firmeza, a cabeça podia às vezes se manter altiva como a de quem superou um obstáculo: a pessoa era.

Se bem que podia acontecer uma coisa humilhante. Como agora no táxi acontecia com Lóri. É que, depois de anos de relativo sucesso com a máscara, de repente – ah menos que de repente, por causa de um olhar passageiro ou de uma palavra ouvida do chofer – de repente a máscara de guerra da vida crestava-se toda como lama seca, e os pedaços irregulares caíam no chão com um ruído oco. E eis rosto agora nu, maduro, sensível quando já não era mais para ser. E o rosto de máscara crestada chorava em silêncio para não morrer.

Entrou em casa como uma foragida do mundo. Era inútil esconder: a verdade é que não sabia viver. Em casa estava bom, ela se olhou ao espelho enquanto lavava as mãos e viu a "persona" afivelada no seu rosto. Parecia um macaco enfeitado. Seus olhos, sob a grossa pintura, estavam miúdos e neutros, como se no homem ainda não se tivesse manifestado a Inteligência. Então lavou-o, e com alívio estava de novo de alma nua. Tomou então uma pílula para dormir e esquecer o fracasso de sua bravata. Antes que chegasse o sono, ficou alerta e se prometeu que nunca mais se arriscaria sem proteção.

A pílula de fazer dormir começara a apaziguá-la. E a noite incomensurável dos sonhos começou, vasta, em levitação.

quando duas semanas depois Ulisses enfim telefonou – ele nunca conversava pelo telefone, só marcava sucintamente encontro e sem perguntar se ela queria ir – quando ele enfim telefonou para marcar encontro, com o inesperado alívio da dor, ao desligar ela caiu num choro breve, mais um espasmo de felicidade que um choro.

Depois serenou e vestiu-se. Aproveitaria o extemporâneo calor daquele dia, que estragaria a maquiagem, para ir sem pintura. Sem máscara. Sentia-se mais segura por ter entrado no mar sozinha e pretendia ver se teria coragem de contar a Ulisses a vitória.

Foi dessa vez que, se encaminhando para o bar sem que ele já a tivesse visto, foi depois de seus dias de desencadeamento de dor, que ao vê-lo sentado junto ao copo de uísque – inesperadamente a visão dele, bem longe ainda, provocou-lhe uma feliz e terrível grandeza humana, grandeza dele e dela. Parou um instante estupefacta. Parecia assustada por estar avançando dentro de si talvez depressa demais e com todos os riscos – em que direção?

Nesse instante ele a percebeu e com o seu cavalheirismo não afetado levantara-se esperando-a de pé. Lóri teve então que prosseguir diante do olhar dele, o que ainda era difícil porque não se refizera de todo ou da entrada no mar ou da visão de Ulisses na piscina, ela confundiu as duas sensações numa só vitória tímida.

E enquanto se aproximava em direção dele, devagar, pausada como sempre, viu que aquilo que ela vira em Ulisses e lhe dera a impressão de ser fulgurada em plena piscina ainda continuava, já agora ameno a ponto de permitir-lhe pensar que Ulisses – apesar de não poder ser chamado de equilibrado por causa da liberdade que nele tomava o ar de originalidade audaciosa – Ulisses era um homem despojado, inclusive isento do pecado do romantismo.

Quando afinal chegou à sua mesa – nunca se apertavam as mãos – Lóri já se havia sem muita consciência se tornado orgulhosa de Ulisses como se ele fosse dela, e isso era novo. De algum modo ele era, porque do momento em que Lóri pudesse talvez se transformar ele seria dela, imaginava apesar das dúvidas. O que temia era exatamente uma das qualidades de Ulisses: a da franqueza. Temia que, se ela conseguisse avançar a ponto de ficar mais pronta e viesse a aceitar aproximar-se dele, ele com franqueza pudesse simplesmente dizer-lhe que já era tarde. Porque até as frutas têm estação.

Sentaram-se. E o pudor prévio já a tomara à ideia de que contaria sua entrada grave no mar. Pois fora mais um ritual do que... do que o quê?

– Eu, disse ela mas silenciou: emocionara-se demais para poder falar.

– Sim? encorajou-a Ulisses, inclinando-se para a frente porque sentira que ela diria alguma coisa importante.

Então, como lançando-se sem pensar num abismo, Lóri disse:

– Um dia eu fui de madrugada ao mar sozinha, não tinha ninguém na praia, eu entrei na água, só tinha um cachorro preto mas longe de mim!

Ele olhou-a com atenção, a princípio como se não entendesse que significado invulgar poderia haver naquela declaração emocionada. Afinal como se tivesse compreendido, perguntou devagar:

– Gostou?

– Gostei, respondeu com humildade, e de vergonha seus olhos se encheram de lágrimas que não caíam, só faziam com que parecessem duas poças plenas. Não, corrigiu-se depois, procurando o termo exato, não é que tenha gostado. É outra coisa.

– Melhor ou pior que gostar?

– Foi tão diferente que não posso comparar.

Ele examinou-a um instante:

– Sei, disse depois.

E acrescentou simples:

– Eu te amo.

Ela olhou-o com olhos obscurecidos mas seus lábios estremeceram. Ficaram em silêncio por um momento.

– Teus olhos, disse ele mudando inteiramente de tom, são confusos mas tua boca tem a paixão que existe em você e de que você tem medo. Teu rosto, Lóri, tem um mistério de esfinge: decifra-me ou te devoro.

Ela se surpreendeu de que também ele tivesse notado o que ela via de si mesma no espelho.

– Meu mistério é simples: eu não sei como estar viva.

– É que você só sabe, ou só sabia, estar viva através da dor.

– É.

– E não sabe como estar viva através do prazer?

— Quase que já. Era isso o que eu queria te dizer.

Houve uma pausa longa entre os dois. Quem parecia emocionado agora era Ulisses. Chamou o garçom, pediu mais uma dose. Depois que o garçom se afastou, ele disse num tom de voz como se tivesse mudado de assunto e no entanto o assunto era o mesmo:

— Pois eu tive que pagar a minha dívida de alegria a um mundo que tantas vezes me foi hostil.

— Viver, disse ela naquele diálogo incongruente em que pareciam se entender, viver é tão fora do comum que eu só vivo porque nasci. Eu sei que qualquer pessoa diria o mesmo, mas o fato é que sou eu quem está dizendo.

— Você ainda não se habituou a viver? perguntou Ulisses com intensa curiosidade.

— Não.

— Então é perfeito. Você é a verdadeira mulher para mim. Porque na minha aprendizagem falta alguém que me diga o óbvio com um ar tão extraordinário. O óbvio, Lóri, é a verdade mais difícil de se enxergar – e para não tornar grave a conversa acrescentou sorrindo – já Sherlock Holmes sabia disso.

— Mas é triste só enxergar o óbvio como eu e achá-lo estranho. É tão estranho. De repente é como se eu abrisse minha mão fechada e dentro descobrisse uma pedra: um diamante irregular em estado bruto. Oh Deus, eu já nem sei mais o que estou dizendo.

Ficaram em silêncio.

— Nunca falei tanto, disse Lóri.

— Comigo você falará sua alma toda, mesmo em silêncio. Eu falarei um dia minha alma toda, e nós não nos esgotaremos porque a alma é infinita. E além disso temos dois corpos que nos será um prazer alegre, mudo, profundo.

Lóri, para a surpresa encantada de Ulisses, enrubesceu.

Ele examinou-a profundamente e disse:

— Lóri, você está vermelha e no entanto já teve cinco amantes.

Ela abaixou a cabeça, não em culpa, mas numa infantilidade de criança que esconde o rosto. Foi o que Ulisses pensou e seu coração bateu de alegria. Porque ele estava infinitamente mais adiantado na aprendizagem: ele reconhecia em si a alegria e a vitória.

De novo ficaram em silêncio. Como se sentisse que haviam falado mais do que ela no presente, poderia suportar, Ulisses tomou dessa vez um tom mais leve e casual:

— Há quanto tempo você se formou, quero dizer, para ser professora?

— Cinco anos.

— Tudo com você é cinco? perguntou sorrindo. Aposto que você era a primeira da turma.

Ela se surpreendeu:

— Como é que você sabe?

— É que suas colegas também estavam ocupadas em viver, e você, para não sofrer, deve ter se dedicado encarniçadamente ao estudo. Aposto também como você é das melhores professoras da escola.

— Pelo mesmo motivo? perguntou sombria.

— É. Não quero dizer que os motivos de se ser dos melhores sejam sempre os mesmos. Eu, por exemplo, suponho ser dos melhores professores da faculdade. Primeiro porque a matéria sempre me apaixonou e eu esperava dela que me respondesse a perguntas, que me fizesse pensar. Tenho um prazer enorme de pensar, Lóri. Depois, por sorte, tive ótimos professores, além de simultaneamente ser um autodidata: quase todo o meu dinheiro então era aplicado na compra de livros caríssimos. Outra sorte que tenho como professor: ser amado pelos alunos. Mas eu também vivia, e continuo vivendo agora. Enquanto você é boa professora mas nem se permite talvez rir com os alunos. Depois você aprenderá, Lóri, e então experimentará em cheio a grande alegria que é de se comunicar, de transmitir.

Lóri mantinha-se calada e séria.

– Lóri, leia este poema e entenda – tirou do bolso um papel amarrotado – faço poesia não porque seja poeta mas para exercitar minha alma, é o exercício mais profundo do homem. Em geral sai incongruente, e é raro que tenha um tema: é mais uma pesquisa de modo de pensar. Este talvez tenha saído com um sentido mais fácil de aprender.

Ela leu o poema, não entendeu nada e entregou-lhe a folha de papel de volta, em silêncio.

– Se um dia eu voltar a escrever ensaios, vou querer o que é o máximo. E o máximo deverá ser dito com a matemática perfeição da música, transposta para o profundo arrebatamento de um pensamento-sentimento. Não exatamente transposta, pois o processo é o mesmo, só que em música e nas palavras são usados instrumentos diferentes. Deve, tem que haver, um modo de se chegar a isso. Meus poemas são não poéticos mas meus ensaios são longos poemas em prosa, onde exercito ao máximo a minha capacidade de pensar e intuir. Nós, os que escrevemos, temos na palavra humana, escrita ou falada, grande mistério que não quero desvendar com o meu raciocínio que é frio. Tenho que não indagar do mistério para não trair o milagre. Quem escreve ou pinta ou ensina ou dança ou faz cálculos em termos de matemática, faz milagre todos os dias. É uma grande aventura e exige muita coragem e devoção e muita humildade. Meu forte não é a humildade em viver. Mas ao escrever sou fatalmente humilde. Embora com limites. Pois no dia em que eu perder dentro de mim a minha própria importância – tudo estará perdido. Melhor seria a empáfia, e está mais perto da salvação quem pensa que é o centro do mundo, o que é um pensamento tolo, é claro. O que não se pode é deixar de amar a si próprio com algum despudor. Para manter minha força, que é tão grande e *helpless* como a de qualquer homem que tenha respeito pela força humana, para mantê-la não tenho o menor pudor, ao contrário de você.

Ficaram em silêncio.

— Em vez de guaraná, posso tomar um uísque? perguntou ela.

— Claro, disse ao mesmo tempo em que fazia sinal para o garçom. Você está tentando com o uísque intensificar esse momento?

— Sim, respondeu surpreendida com a explicação dele.

Ela não sabia beber: bebia muito depressa como se fosse um refresco. Em breve, um pouco encabulada, pedia outra dose.

Ulisses sorriu, enquanto chamava o garçom:

— Beba mais devagar senão vai depressa lhe subir à cabeça. E mesmo porque beber não é embebedar-se, é outra coisa. Mas meu lado de relíquia de ancestrais faz com que eu fique contente de ver uma mulher que não bebe.

O garçom aproximou-se, serviu-a pondo mais gelo.

— E seus ancestrais, Lóri?

— Não sei o que você quer dizer, mas se é sobre minha família, tenho só pai e quatro irmãos. Não me dou com eles. Tentaram me marcar mas sempre foram gente de segundo plano na minha vida, e ainda mais em segundo plano ficaram quando perderam grande parte da fortuna e quase que a maioria dos criados. Aproveitei da confusão e vim para o Rio. Foi uma experiência engraçada e boa a de passar das grandes salas de família, em Campos, para o minúsculo apartamento que todo ele caberia dentro de uma das salas menores. Tive a impressão de ter voltado às minhas verdadeiras proporções. E à liberdade, é claro.

– E quem era de primeiro plano na sua vida?

– Ninguém.

– Apaixonavam-se por você?

– Sim.

– É o que eu imaginava. Eu, por motivos ignorados, desde rapazola tinha um dom: o de acordar alguma coisa nas mulheres. Com você esse dom de atrair os homens não lhe causa nenhuma impressão?

Ela apertou deliberadamente os lábios como indicando que não ia falar.

– Não precisa responder, sorriu ele. Assim como o seu dom de atração age em mim... Você sabe, disse com simplicidade, que nós dois somos atraentes como homem e mulher.

Lóri, já esquentada pelo uísque, sorriu a tanta franqueza.

– Você sorriu! Você sabe o que lhe aconteceu? Você sorriu sem pudor! Ah, Lóri, quando você aprender vai ver o tempo que perdeu. A tragédia de viver existe sim e nós a sentimos. Mas isso não impede que tenhamos uma profunda aproximação da alegria com essa mesma vida.

– Não posso! quase gritou Lóri, não posso, estou perdida. E se me aproximar do que você fala ficarei confusa para sempre.

Ele não respondeu, como se ela não tivesse falado. Ficaram em silêncio até que ela própria sentiu que se recompusera.

– Não estou aqui porque quero lhe dar lições, se não fosse por outros motivos, porque também eu estou aprendendo, com dificuldade. Mas já existem demais os que estão cansados. Minha alegria é áspera e eficaz, e não se compraz em si mesma, é revolucionária. Todas as pessoas poderiam ter essa alegria mas estão ocupadas demais em ser cordeiros de deuses.

Apesar de ser outono era um dos dias mais quentes do ano, Lóri suava a ponto das costas do vestido estarem molhadas, a testa se perlava de gotas de suor que terminavam escorrendo pelo rosto. Parecia estar lutando corpo a corpo com aquele homem, assim como lutava consigo mesma, e que era simbólico ela suar e ele não. Enxugou o rosto com o lenço, enquanto sentia que Ulisses a examinava e ela percebeu que ele estava tendo prazer em olhá-la. Ele disse:

— Você é de algum modo bonita. Gosto de teu rosto suado sem pintura embora também goste do modo exagerado como você se pinta. Mas é que pintada você prova não sei de que modo que não é virgem. Não, não se engane, não pense que eu desejaria que você fosse virgem, aliás de certo modo você é. Quantos homens você já teve mesmo?

— Cinco, respondeu sabendo perfeitamente que ele se lembrava.

— Você sabe, não é, que enquanto sou apenas seu amigo, tenho dormido com mulheres. Com uma fiquei meio ano.

— Imagino, respondeu sem ciúme.

Nunca tivera ciúme dos seus homens mas sabia da possibilidade violenta de ciúme de Ulisses, se ambos fossem amantes.

— Se você chegar a ser minha, do modo como quero, gostaria de ter um filho seu, assim mesmo, com você sem pintura no rosto e coberta de suor.

Ela se assustou um pouco com o inesperado, ele sorriu:

— Não tenha medo. Em primeiro lugar, do modo como eu queria que você fosse minha, só acontecerá quando você também quiser desse mesmo modo. E ainda demorará porque você não descobriu o que precisa descobrir. E além do mais, se vier a ser minha desse modo, possivelmente quererá um filho nosso. Porque além de nós nos construirmos, provavelmente vamos querer construir outro ser. Lóri, apesar de minha aparente segurança, também estou trabalhando para ficar pronto para você. Inclusive de hoje em diante, até você ser minha, não terei mais nenhuma mulher na cama.

— Não! exclamou ela.

— Isso não lhe dá nenhuma responsabilidade, boba, riu ele. Isto é problema exclusivamente meu. E certamente você tem também uma ideia errada dos homens: eles podem ser castos, sim, Lóri, quando querem.

O olhar dela tornara-se sonhador, abstrato, um pouco vazio. Ela pensava: se Ulisses estava pretendendo que ela tomasse consciência de alguma coisa para tornar-se uma espécie de iniciada na vida, teria que ser devagar, se fosse de súbito alguma coisa nela poderia ser fulminada. Mas ela sabia que Ulisses também sabia disso, e já lhe conhecia a paciência. Quem estava perdendo a paciência e começando a sentir uma pressa de avidez era ela mesma.

— Você quer ir ao Posto 6? perguntou Lóri, às vezes a essa hora os pescadores estão colhendo peixes.

Ele perscrutou-a um longo instante que ela não entendeu, e de repente com um suspiro e um sorriso disse:

— Não, estou certo de que você não sabe. É uma pena que seu apelido seja Lóri, porque seu nome Loreley é mais bonito. Sabe quem era Loreley?

— Era alguém?

— Loreley é o nome de um personagem lendário do folclore alemão, cantado num belíssimo poema por Heine. A lenda diz que Loreley seduzia os pescadores com seus cânticos e eles terminavam morrendo no fundo do mar, já não me lembro mais de detalhes. Não, não me olhe com esses olhos culpados. Em primeiro lugar, quem seduz você sou eu. Sei, sei que você se enfeita para mim, mas isso já é porque eu seduzo você. E não sou um pescador, sou um homem que um dia você vai perceber que ele sabe menos do que parece, apesar de ter vivido muito e estudado muito. Agora que você está de novo com os olhos normais (!), podemos ir ver os pescadores, se bem que eu tivesse planejado nesse calor jantar com você na Floresta da Tijuca. Mas as duas coisas seriam demais para a tua capacidade. Lóri, você está se acordando pela curiosidade, aquela que empurra pelos caminhos da vida real. Mas não tenha medo da desarticulação que virá. Essa desarticulação é necessária para que se veja aquilo que, se fosse articulado e harmonioso, não seria visto, seria tomado como óbvio. Na desarticulação haverá um choque entre você e a realidade, é preferível estar preparada para isso, Lóri, a verdade é que estou contando a você parte do meu caminho já percorrido. Nos piores momentos, lembre-se: quem é capaz de sofrer intensamente, também pode ser capaz de intensa alegria. Se você quer ver os peixes, Loreley, vamos.

Pagou a conta, levantaram-se e começaram a andar pois não estavam muito longe do Posto 6.

Andavam devagar sob a brisa que agora soprava do mar, e conversavam eventualmente como velhos conhecidos.

— Não sei mais se no restaurante da Floresta da Tijuca tem galinha ao molho pardo, bem pardo por causa do sangue espesso que eles lá sabem preparar. Quando penso no gosto voraz com que comemos o sangue alheio, dou-me conta de nossa truculência, disse Ulisses.

— Eu também gosto, disse Lóri a meia-voz. Logo eu que seria incapaz de matar uma galinha, tanto gosto delas vivas, mexendo o pescoço feio e procurando minhocas. Não era melhor, quando formos lá, comer outra coisa? perguntou meio a medo.

— Claro que devemos comê-la, é preciso não esquecer e respeitar a violência que temos. As pequenas violência nos salvam das grandes. Quem sabe, se não comêssemos os bichos, comeríamos gente com o seu sangue. Nossa vida é truculenta, Loreley: nasce-se com sangue e com sangue corta-se para sempre a possibilidade de união perfeita: o cordão umbilical. E muitos são os que morrem com sangue derramado por dentro ou por fora. É preciso acreditar no sangue como parte importante da vida. A truculência é amor também.

Estavam quase perto. Ulisses disse:

– Você anda, Loreley, como se carregasse uma jarra no ombro e mantivesse o equilíbrio com uma das mãos levantadas. Você é uma mulher muito antiga, Loreley. Não importa o fato de você se vestir e se pentear de acordo com a moda, você é antiga. E é raro encontrar uma mulher que não rompeu com a linhagem de mulheres através do tempo. Você é uma sacerdotisa, Loreley? perguntou sorrindo.

O que valia, pensou ela, é que ele dizia coisas perturbadoras mas imediatamente quebrava a gravidade, que a emocionaria, com um sorriso ou uma palavra irônica.

Chegaram ao Posto 6 e ainda estava entre claro e escuro. Para a descoberta do que Ulisses queria e que talvez se chamasse de descoberta de viver, Lóri preferia a luz fresca e tímida que precedia o dia ou a quase penumbra luminosa que precede a noite.

Sim, os peixes já estavam lá, amontoados, prateados, de escamas faiscantes, mas de corpo encurvado pela morte. Os pescadores continuavam a esvaziar na areia novas redes onde os peixes ainda se mexiam quase mortos. E deles vinha o forte cheiro sensual que o peixe cru tem. Lóri aspirou profundamente o cheiro quase ruim, quase ótimo. Só a própria pessoa podia exprimir a si própria o inexprimível cheiro do peixe cru – não em palavras: o único modo de exprimir era sentir de novo. E, pensou ela, e sentir a grande ânsia de viver mais profundamente que esse cheiro provocava nela. Quem sabe, divagou, ela vinha de uma linha de Loreleys para as quais o mar e os pescadores eram o cântico da vida e da morte. Só outra pessoa que tivesse experimentado, saberia o que ela sentia, pois de quase tudo o que importa não se sabe falar. Lóri quereria dizer a Ulisses como o cheiro de maresia lhe lembrava também o cheiro de um homem sadio, mas jamais teria coragem. Aspirou de novo a morte viva e violentamente perfumada dos peixes azulados, mas a sensação foi mais forte do que pôde suportar e, ao mesmo tempo que sentia uma extraordinariamente boa sensação de ir desmaiar de amor, sentiu, já por defesa, um esvaziamento de si própria:

– Vamos embora, disse quase áspera.

– Eu avisei, disse Ulisses com alguma severidade, que você devia contar com as desarticulações. Você está querendo "queimar as etapas", pular por cima dos estágios necessários e ir vorazmente ao que quer que seja. Quer que a leve para casa ou você trouxe dinheiro para táxi?

– Trouxe.

– Então vá para casa, Loreley. Adeus.

Seguiu-se um longo e tenebroso inverno, assim Lóri recitou para as crianças em classe e elas compreenderam por que o frio as enrodilhava em si mesmas e não havia como combatê-lo: eram crianças quase que na maioria pobres e não tinham agasalhos suficientes. Lóri usou a mesada do pai para comprar para cada criança de sua classe um suéter grosso de lã, e todos vermelhos para esquentar-lhes a vista ao mesmo tempo em que impedia que os lábios ficassem arroxeados do frio que vinha também do chão de cimento batido, naquele inverno mais frio que os outros, Lóri entrava, ela própria em agasalho com as crianças, as vozes na sala de aula eram múltiplas, ela ensinava certa de que os meninos e meninas iam guardar o que ela ensinava para mais tarde, quando pudessem entender. Assim falou-lhes que aritmética vinha de "arithmos" que é ritmo, que número vinha de "nomos" que era lei e norma, norma do fluxo universal da criança. Era cedo demais para lhes dizer isso, mas gozava do prazer de falar-lhes, queria que eles soubessem, através das aulas de português, que o sabor de uma fruta está no contato da fruta com o paladar e não na fruta mesmo.

Não havia aprendizagem de coisa nova: era só a redescoberta. E chovia muito esse inverno. Então usou a outra mesada do pai e procurou – com que prazer andava pelas lojas procurando até achar – e procurou e comprou para todos os alunos e alunas de sua classe, guarda-chuvas vermelhos e meias de lã vermelha.

Era assim que ela afogueava o mundo.

Ulisses a procurava pouco. Sem ser para lhe dar explicação de seu comportamento, disse ao telefone que esse ano estava com uma turma excepcional para ensinar, que lhe pedia resposta a tudo, e que o obrigava com duro prazer a pensar mais e a estudar mais.

Mas num sábado de manhã, enquanto ela estava na cama sem coragem de enfrentar a temperatura fora dos cobertores, tocou o telefone. Ela deu um salto para fora da cama, mas femininamente deixou como sempre o telefone tocar algumas vezes mais para não demonstrar sua avidez, caso fosse Ulisses.

Era Ulisses e ele perguntava se ela não queria almoçar na Floresta da Tijuca. Ela se controlou para não gritar que sim. Disse disfarçando:

– Hoje?
– Passo de carro aí à uma hora da tarde.

Ela nem precisava pensar no que ia vestir, tanto já sabia: iria com a saia xadrez de lã e o suéter vermelho que também para si comprara, quando comprara o das crianças. De seu próprio guarda-chuva vermelho não ia precisar, já que Ulisses a apanharia à porta de casa. O que era uma pena. O seu guarda-chuva vermelho quando aberto parecia um pássaro escarlate de asas transparentes abertas. Então resolveu que sairia de casa quinze minutos antes da uma, para esperá-lo de guarda-chuva vermelho aberto.

E assim encontrou-a ele e olhou-a com admiração: ela estava extravagante e bela.

Em silêncio rodaram pelas ruas até atingirem a floresta, cujas árvores estavam mais vegetais que nunca, enormes, encipoadas, cobertas de parasitas. E quando a densidade orgânica das plantas e capim altos e árvores, mais pareceu se fechar, chegaram a uma clareira onde estava o restaurante, iluminado por causa da escuridão do dia.

Eles ainda não se haviam falado. Ele levou-a para um salão onde havia uma lareira acesa, enquanto ia encomendar o almoço na sala do restaurante. Em breve voltava, ele mesmo com dois copos de vinho vermelho na mão.

– Olhe, disse ele, lá no beiral da janela, uma andorinha que se desgarrou do bando.

Era de um negro luzidio com reflexos para verde, e o peito e embaixo das asas branco. Estava pousada no beiral de tijolos da janela.

– As andorinhas, disse ele, emigram e depois voltam, como as gaivotas. Dificilmente é vista só. Esta aí se desgarrou do bando, mas na certa sabe onde reencontrá-lo.

E mal falara, entrou no salão um pássaro como endoidecido por ter inadvertidamente entrado pela janela, espantando a andorinha e espantando-se na prisão quente da sala onde voava sem saber onde parar.

– É um sabiá que saiu de seu ninho, disse ele, para procurar comida.

Ela viu que o sabiá tinha uma parte escura nas asas e o peito amarelado. Mas ele não cantava. Talvez fosse uma fêmea.

Bebendo vinho devagar, eles esperavam que o garçom viesse avisar que o almoço estava pronto. Eles dois eram os únicos hóspedes, ninguém parecia ter querido se arriscar com o frio e a chuva fina que caía sem parar. Olhando o fogo da lareira, ela lhe disse:

— Não é estranho eu nunca ter perguntado a você onde você mora?

— Está perguntando então agora. Moro na rua Conde Lage, na Glória, numa casinha pequena e muito antiga, herdada do tempo do tataravô. Chama-se Vila Mariana. Tem um portão de grades de ferro enferrujado que range quando se abre, e depois vem a escadaria, porque na zona da Glória as ruas tendem a subir até que vão parar em Santa Teresa. Sabe onde é?

— Não.

— É perto do relógio da Glória. Quando estou em casa, ouço de quinze em quinze minutos uma espécie de badalar translúcido do relógio que canta devagar marcando o tempo. É muito bom.

— Não é uma zona de prostituição?

Ele sorriu:

— Você sabe inesperadamente das coisas. É, há muito tempo. Mas não está mais em época áurea. E, se você está querendo saber, nenhuma prostituta jamais entrou na Vila Mariana.

Depois eles foram chamados para almoçar e passaram para a sala do restaurante. Ele devia ter-se informado antes por telefone, pois aquele dia, era dia de galinha ao molho pardo. Os dois comeram e beberam em silêncio, sem pressa. Estava bom.

Depois passaram para o salão da lareira, também este vazio, e sentaram-se no sofá que ficava em frente. Ali ele fumou. Quando ela pensou que, além do frio, chovia como que no mundo inteiro, não pôde acreditar que tanto de bom lhe fosse dado. Era o acordo da Terra com aquilo que ela nunca soubera que precisava com tanta fome de alma. Chovia, chovia. O fogo aceso piscava.

Ele, o homem, se ocupava atiçando o fogo. Ela nem se lembrava de fazer o mesmo: não era o seu papel, pois tinha o seu homem para isso. Não sendo donzela, que o homem então cumprisse a sua missão.

O mais que fazia foi uma ou duas vezes instigá-lo:

– Olhe aquela acha, ela ainda não pegou...

E ele, antes de ela acabar a frase, por si próprio já notara a acha apagada, homem seu que ele era, e já estava atiçando-a com o ferro. Não a comando seu que era mulher de um homem e que perderia o seu estado se lhe desse uma ordem. Com a mão direita ele segurava o ferro que fazia as flamas crescerem. A mão esquerda, a livre, estava ao alcance dela. Lóri sabia que podia tomá-la, que ele não se recusaria; mas não a tomava, pois queria que as coisas "acontecessem" e não que ela as provocasse. Ela conhecia o mundo dos que estão tão sofridamente à cata de prazeres e que não sabiam esperar que eles viessem sozinhos. E era tão trágico: bastava olhar numa boate, à meia-luz, os outros: era a busca do prazer que não vinha sozinho e de si mesmo. Ela só fora, com alguns de seus homens do passado, umas duas ou três vezes e depois não quisera mais voltar. Porque nela a busca do prazer, nas vezes que tentara, lhe tinha sido água ruim: colava a boca e sentia a bica enferrujada, de onde escorriam dois ou três pingos de água amornada: era a água seca. Não, havia ela pensado, antes o sofrimento legítimo que o prazer forçado. Queria a mão esquerda de Ulisses e sabia que queria, mas nada fez, pois estava usufruindo exatamente do que precisava: poder ter essa mão se estendesse a sua.

Ah, e dizer que isso ia acabar. Que por si mesmo não podia durar. Não, ela não se referia ao fogo, referia-se ao que sentia. O que sentia nunca durava, acabava e podia nunca mais voltar. Encarniçou-se então sobre o momento, comia-lhe o fogo interno, e o fogo externo ardia doce, ardia, flamejava. Então, como tudo ia acabar, em imaginação vívida, pegou a mão livre do homem, e em imaginação ainda, ao prender essa mão entre as suas, ela toda doce ardia, ardia, flamejava.

porque no Impossível é que está a realidade.

Lóri suportava a luta porque Ulisses, na luta com ela, não era seu adversário: lutava por ela.

– Lóri, a dor não é motivo de preocupação. Faz parte da vida animal.

Ela apertou as mandíbulas, olhou para a lua gelada, olhou o zenite da esfera celeste.

Ele esmagava uma folha que caíra da árvore sobre a mesa do bar. E como para lhe dar de presente alguma coisa, ele disse:

– Sabe o que é sarcofila?
– Nunca ouvi esta palavra, respondeu.
– Sarcofila é a parte carnosa das folhas. Segure esta e sinta.

Estendeu-lhe a folha, Lóri tateou-a com dedos sensíveis e esmagou-lhe a sarcofila. Sorriu. Era lindo dizer e pegar em: sarcofila.

or quê? Mas por que há mais de duas semanas Ulisses não lhe telefonava? Esperaria por acaso que ela lhe telefonasse? E à ideia de tomar iniciativa, a resposta lhe vinha áspera: jamais.

Por que ele a abandonara? Seria para sempre? Ou quebrara o voto de castidade que ele próprio se impingira para esperar por ela? Lembrava-se de que a última palavra dele, depois da Floresta da Tijuca, fora "adeus". Mas ele sempre se despedia assim. Como se cortasse de uma vez para outra o vínculo? E ambos ficassem em liberdade, um do outro? Lóri sabia que ela própria é quem cortara vínculos a vida inteira, e talvez alguma coisa nela sugerisse aos outros a palavra "adeus". "Abandonar-me logo quando eu estava...", não concluía o pensamento numa frase porque não sabia ao certo em que "já estava".

Às vezes de noite acordava em sobressalto, sentindo a falta de Ulisses, como se tivesse alguma vez dormido com ele. E não conseguia readormecer porque o desejo de ser possuída por ele vinha forte demais. Ela se levantava então, fazia café, sentava-se como uma menina bem-comportada numa cadeira com a xícara grande de café na mão. Sabia no entanto que o fato de desejá-lo tão intensamente não queria ainda dizer que ela avançara. Pois antes também desejara os seus amantes e não se ligara a nenhum deles.

Tomava o seu café, e via o telefone mudo ao seu lado. Mudo, mas à mão também se ela se atrevesse a telefonar-lhe. Sabia que se de algum modo lhe manifestasse que já o desejava forte demais, ele reconheceria que era simples desejo e recusaria. E por enquanto ela não tinha nada a lhe dar, senão o próprio corpo. Não, nem o próprio corpo talvez: pois com os amantes que tivera ela como que apenas emprestava o seu corpo a si própria para o prazer, era só isso, e mais nada.

Tomava o café e pensava sem palavras: meu Deus, e dizer que é noite plena e que eu estou plena da noite grossa que escorre com perfume de amêndoas doces. E pensar que o mundo está todo grosso de tanto cheiro de amêndoas, e que eu vos amo, Deus, com um amor feito de escuridão e clarões. E pensar que os filhos do mundo crescem e se tornam homens e mulheres, e que a noite será plena e grossa para eles também, enquanto eu estarei morta, plena também. Eu vos amo, Deus, sem esperar senão a dor de Vós. A dor é o mistério. Um dos meus alunos antigos já agora com quinze anos comprara um cravo para pôr na lapela e ir a uma festa. Festa, meu Deus, o mundo é uma festa que termina em morte e em cheiro de cravo murcho na lapela. Eu te amo, Deus, exatamente porque não sei se existes. Eu quero um sinal de que existes. Conheci uma mulher simples que não se fazia perguntas sobre Deus: ela amava além da pergunta sobre Deus. Então Deus existia. Quando eu morrer quero cravos presos no meu vestido branco. Mas não jasmim, que eu amo tanto e que sufocará a minha morte. Depois de morta andarei só de branco. E encontrarei quem eu quero: a pessoa que eu quero também estará de branco.

E às vezes cochilava com a mão pousada na mesa, sobre a xícara de café.

Foi então que entrou numa fase – seria fase ou para sempre? – em que regrediu como se tivesse perdido tudo o que ganhara. E no fundo – perguntava-se ingrata – o que ganhara? Nada, respondia com ódio, não sabia por quê, de Ulisses.

Deus, sim: ela havia ganho de um modo novo: amando a sua vastidão impessoal e sem querer senão que Ele existisse. Mas também isso estava começando a perder: agora rejeitava violentamente um Deus a quem não se pudesse apelar. Mas não queria também apelar: estava perdida e confusa. Lembrava-se de que perguntara um dia a Ulisses:

– Você crê no Deus?

Ele rira:

– Você ainda está nessas perguntas de adolescente? A pergunta é infantil. A resposta é a seguinte: eu sinto que não me mexo na vida dentro de um vazio absoluto exatamente porque também sou Deus. Um dia, quando eu tiver mais vontade e se você ainda quiser, eu lhe falarei de como me mexo dentro de Deus.

Rememorando, ela estranhou Ulisses como um ser à parte, como se já não o conhecesse tão bem. Lembrou-se de que ele acrescentara para finalizar o assunto sobre Deus:

– De qualquer modo, dissera com um jeito impessoal, como se não falasse de si próprio, sou dos que creem no que é inacreditável. Aprendi a viver com o que não se entende.

Ela achava que Ulisses nada informava e que se contradizia sempre tranquilamente: o que o fazia, aos olhos dela, o ser humano por excelência. Ele fazia poemas como o exercício mais profundo do homem. E ela? Que fazia como o exercício profundo de ser uma pessoa? Fazia o mar de manhã... Antes não ia à praia por indolência e também porque lhe desagradava a multidão. Agora ia sem preguiça às cinco da manhã, quando o cheiro do mar ainda não usado a deixava tonta de alegria. Era a maresia, palavra feminina, mas para Lóri o cheiro maresia era masculino. Ia às cinco horas da manhã porque era a hora da grande solidão do mar. Às vezes passava pela calçada um homem passeando o seu cachorro, só isso. Como explicar que o mar era o seu berço materno mas que o cheiro era todo masculino? Talvez se tratasse da fusão perfeita. Além do que, de madrugada, as espumas pareciam mais brancas.

Para o mundo de perfumes, Lóri já acordara. Quando voltava da rua de noite, passava pela casa vizinha cheia de dama-da-noite, que lembrava o jasmim, só que mais forte. Ela aspirava o cheiro da dama-da-noite que era noturno. E o perfume parecia matá-la lentamente. Lutava contra, pois sentia que o perfume era mais forte do que ela, e que poderia de algum modo morrer dele. Agora é que ela notava tudo isso. Era uma iniciada no mundo.

Que lhe parecia um milagre. Se bem que não fosse dada a milagres, ela era daqueles que rolam pedras durante a vida toda, e não daqueles para os quais os seixos já vêm prontos, polidos e brancos. Se bem que tinha sempre visões fugitivas, verdadeiros quadros que se esvaneciam, antes de adormecer. Mas falara disso a Ulisses e ele lhe explicara que era um fenômeno muito comum que se chamava eiditismo, e que era a capacidade de projetar no campo alucinatório as imagens inconscientes.

Milagres, não. Mas as coincidências. Vivia de coincidências, vivia de linhas que incidiam e se cruzavam e, no cruzamento, formavam um leve e instantâneo ponto, tão leve e instantâneo que era mais feito de segredo. Mal falasse das coincidências, e já estaria falando em nada.

Mas possuía um milagre, sim. O milagre das folhas. Estava andando na rua e do vento lhe caíra exatamente nos cabelos: a incidência de linha de milhões de folhas transformada em uma que caía, e de milhões de pessoas a incidência de reduzi-lo a ela. Isso lhe acontecia tantas vezes que passou a se considerar modestamente a escolhida das folhas. Com gestos furtivos tirara a folha dos cabelos e guardara-a na bolsa, como o mais diminuto diamante. Até que um dia, abrindo a bolsa, encontrara entre os mil objetos que sempre carregava a folha seca, engelhada e morta. Jogara-a fora: não lhe interessava o fetiche morto como lembrança. E também porque sabia que novas folhas iriam coincidir com ela. Um dia uma folha que caíra batera-lhe nos cílios. Achou então Deus de uma grande delicadeza.

Com Ulisses dera os primeiros passos para alguma coisa que até então desconhecia. Mas poderia agora avançar sozinha? Numa das últimas vezes ela lhe perguntara com um sorriso encabulado, procurando disfarçar com um tom levemente irônico: estou sendo autodidata? Ele respondera:

— Acho que sim. Muitas coisas você só tem se for autodidata, se tiver a coragem de ser. Em outras, terá que saber e sentir a dois. Mas eu espero. Espero que você tenha a coragem de ser autodidata apesar dos perigos, e espero também que você queira ser dois em um. Sua boca, como eu já lhe disse, é de paixão. É através da boca que você passará a comer o mundo, e então a escuridão de teus olhos não vai se aclarar mas vai iridescer.

Ele não lhe telefonava, ela não o via: ocorreu-lhe então que ele tivesse desaparecido para que ela aprendesse sozinha. Mas o que acontecera é que ela ainda estava tão frágil no mundo que quase desmoronou e quase voltou à estaca zero. E ver que podia perder tudo o que já ganhara, encheu-a de uma ira de possesso contra o Deus. Não tinha coragem de encolerizar-se com Ulisses porque na sua cólera ela o destruiria dentro dela. Mas voltava-se contra o Deus que era indestrutível. Esta é a minha prece de possesso, pensou ela. E estava conhecendo o inferno da paixão pelo mundo, por Ulisses. Não sabia que nome dar ao que a tomara ou ao que, com voracidade, estava tomando senão o de paixão.

O que era aquilo tão violento que a fazia pedir clemência a si mesma? Era a vontade de destruir, como se para destruir tivesse nascido. E o momento de destruição viria ou não, a escolha dependia dela poder ou não se ouvir a si própria. O Deus ouvia, mas ela se ouviria?

A força de destruição ainda se continha e ela não entendia por que vibrava de alegria de ser capaz de tal ira. É que estava vivendo. E não havia perigo de realmente destruir ninguém ou nada porque a piedade era nela tão forte quanto a ira: então ela queria destruir a si mesma que era a fonte daquela paixão.

Não queria pedir ao Deus que a aplacasse, amava tanto o Deus que tinha medo de tocar Nele com o seu pedido, pedido que queimava, sua própria prece era perigosa de tão ardente, e poderia destruir nela a última imagem de Deus, que ainda queria salvar em si.

No entanto, só a Ele poderia pedir que pusesse a mão sobre ela e arriscar-se a queimar a Dele.

Nessa mesma noite gaguejara uma prece para o Deus e para si mesma: alivia minha alma, faze com que eu sinta que Tua mão está dada à minha, faze com que eu sinta que a morte não existe porque na verdade já estamos na eternidade, faze com que eu sinta que amar é não morrer, que a entrega de si mesmo não significa a morte e sim a vida, faze com que eu sinta uma alegria modesta e diária, faze com que eu não Te indague demais, porque a resposta seria tão misteriosa quanto a pergunta, faze com que eu receba o mundo sem medo, pois para esse mundo incompreensível nós fomos criados e nós mesmos também incompreensíveis, então é que há uma conexão entre esse mistério do mundo e o nosso, mas essa conexão não é clara para nós enquanto quisermos entendê-la, abençoa-me para que eu viva com alegria o pão que como, o sono que durmo, faze com que eu tenha caridade e paciência comigo mesma, amém.

De repente Lóri não suportou mais e telefonou para Ulisses:

– Que é que eu faço, é de noite e eu estou viva. Estar viva está me matando aos poucos, e eu estou toda alerta no escuro.

Houve uma pausa, ela chegou a pensar que Ulisses não ouvira. Então ele disse com voz calma e apaziguante:

– Aguente.

Quando desligou o telefone, a noite estava úmida e a escuridão suave, e viver era ter um véu cobrindo os cabelos. Então com ternura aceitou estar no mistério de ser viva.

Antes de se deitar foi ao terraço: uma lua cheia estava sinistra no céu. Então ela se banhou toda nos raios lunares e se sentiu profundamente límpida e tranquila.

Pouco a pouco foi adormecendo de doçura, e a noite era bem dentro. Quando a noite amadurecesse viria o véu mais cheio de brisa da madrugada. Por enquanto, ela estava delicadamente viva, dormindo.

Já se passara o ano. Os primeiros calores da primavera, tão antigos como um primeiro sopro. E que a fazia não poder deixar de sorrir. Sem se olhar ao espelho, era um sorriso que tinha a idiotice dos anjos.

Muito antes de vir a nova estação já havia o prenúncio: inesperadamente uma tepidez de vento, as primeiras doçuras do ar. Impossível! Impossível que essa doçura de ar não traga outras! diz o coração se quebrando.

Impossível, diz em eco a mornidão ainda tão mordente e fresca da primavera. Impossível que esse ar não traga o amor do mundo! Repete o coração que parte sua secura crestada num sorriso. E nem sequer reconhece que já o trouxe, que aquilo é um amor. Esse primeiro calor ainda fresco trazia: tudo. Apenas isso, e indiviso: tudo.

E tudo era muito para um coração de repente enfraquecido que só suportava o menos, só podia querer o pouco aos poucos. Sentia hoje, e também mordente, uma espécie de lembrança ainda vindoura do dia de hoje. E dizer que nunca, nunca dera isto que estava sentindo a ninguém e a nada. Dera a si mesma?

Só na medida em que a pungência do que era bom cabia dentro de nervos tão frágeis, de mortes tão suaves. Ah como queria morrer. Nunca experimentara ainda morrer – que abertura de caminho tinha ainda à frente. Morrer teria a mesma pungência indivisível do bom. A quem daria a sua morte? Que seria como os primeiros calores frescos de uma nova estação.

Ah como a dor era mais suportável e compreensível que aquela promessa de frígida e líquida alegria da primavera. E com tal pudor a esperava: a pungência do bom.

Mas nunca morrer antes de realmente morrer: pois era tão bom prolongar aquela promessa. Queria prolongá-la com tal finura.

Nessa finura Lóri se banhava, nutria-se da vida melhor e mais fina, pois nada era bom demais para se preparar para o instante daquela nova estação. Queria os melhores óleos e perfumes, queria a vida da melhor espécie, queria as esperas as mais delicadas, queria as melhores carnes finas e também as pesadas para comer, queria a quebra de sua carne em espírito e do espírito se quebrando em carne, queria essas finas misturas – tudo o que secretamente a adestraria para aqueles primeiros momentos que viriam.

Iniciada, pressentia a mudança de estação. E desejava a vida mais cheia de um fruto enorme. Dentro daquele fruto que nela se preparava, dentro daquele fruto que era suculento, havia lugar para a mais leve das insônias diurnas que era a sua sabedoria de bicho acordado: um véu de alerteza, esperta bastante para apenas pressentir. Ah pressentir era mais ameno do que o intolerável agudo do bom. E que ela não se esquecesse, naquela sua fina luta travada, que o mais difícil de se entender era a alegria.

Que ela não se esquecesse que a subida mais escarpada, e mais à mercê dos ventos, era sorrir de alegria. E que por isso era que aquilo que menos tinha cabido dentro dela: a delicadeza infinita da alegria. Pois quando se demorava demais nela e procurava se apoderar de sua levíssima vastidão, lágrimas de cansaço lhe vinham aos olhos: era fraca diante da beleza do que existia e do que ia existir.

E não conseguia, nesse adestramento contínuo, apoderar-se do primeiro regozijo da vida.

Conseguiria dessa vez captar o regozijo infinitamente doce que era como morrer? Ah como se inquietava de não conseguir viver o melhor, e assim poder um dia enfim morrer o melhor. Como se inquietava que alguém pudesse não compreender que morreria numa ida para uma tonta felicidade de primavera. Mas não apressaria de um instante a vinda dessa felicidade – pois esperá-la vivendo era a sua vigília de castidade.

Dia e noite não deixava apagar-se a vela – para prolongá-la na melhor das esperas.

A primeira calidez fresca da primavera... mas aquilo era amor! A felicidade a deixava com um sorriso de filha. Cortara os cabelos e andava toda bem penteada. Só que a espera quase que não cabia mais nela. Era tão bom que Lóri corria o risco de se ultrapassar, de vir a perder a sua primeira morte primaveril, e, no suor de tanta espera tépida, como que morrer antes. Por curiosidade, morrer antes: pois já queria saber como era a nova estação.

Mas ia esperar. Ia esperar comendo com delicadeza e recato e avidez controlada cada mínima migalha de tudo, queria tudo pois nada era bom demais para a sua morte que era a sua vida tão eterna que hoje mesmo ela já existia e já era.

Por aquele mundo passou a vagar. Encontrava-se com Ulisses, na sua busca viajava dentro de si bem longe. E então veio finalmente o dia em que ela soube que não era mais solitária, reconheceu Ulisses, tinha encontrado o seu destino de mulher. E sabê-lo casto, esperando-a, ela achava natural e aceitava. Pois ela, apesar do desejo, não queria apressar nada e também se mantinha casta.

Todos lutavam pela liberdade – assim via pelos jornais, e alegrava-se de que enfim não suportasse mais as injustiças. No jornal de domingo viu reproduzida a letra de uma canção da Tchecoslováquia. Copiou-a com a letra mais linda de professora que tinha, e deu-a a Ulisses. Chamava-se "Voz longínqua" e era assim:

> *Baixa e longínqua*
> *É a voz que ouço. De onde vem,*
> *Fraca e vaga?*
> *Aprisiona-me nas palavras,*
> *Custa-me entender*
> *As coisas pelas quais pergunta*
> *Não sei e não sei*
> *Como responder-lhe-ei.*
>
> *Só o vento sabe,*
> *Só o sol sábio conhece.*
> *Pássaros pensativos,*
> *O amor é belo,*
> *Me insinuam algo.*
> *E o mais*
> *Só o vento sabe,*
> *Só o sol conhece.*
>
> *Por que, ao longe, erguem-se as rochas,*
> *Por que vem o amor?*
> *As pessoas são indiferentes,*

Por que tudo lhes sai bem?
Por que eu não posso mudar o mundo?
Por que não sei beijar?
Não sei e não sei
Talvez um dia compreenda.

Só o vento sabe,
Só o sol sábio conhece.
Pássaros pensativos,
O amor belo,
Me insinuam algo.
E o mais,
Só o vento sabe,
Só o sol conhece.

  A letra da música era de um nome que a encantava com sua estranheza e ela pediu a Ulisses que o pronunciasse o que ele fez com facilidade: Zdenek Rytir. E a música, que ela jamais viria a ouvir, era de Karel Svoboda.
  – É bonito, Loreley, é de uma tristeza bonita e aceita.
  Então de súbito se acalmara. Nunca, até então, tivera a sensação de calma absoluta. Estava sentindo agora uma clareza tão grande que a anulava como pessoa atual e comum: era uma lucidez vazia, assim como um cálculo matemático perfeito do qual não se precisasse. Estava vendo claramente o vazio. E nem entendia aquilo que parte dela entendia. Que faria dessa lucidez? Sabia também que aquela sua clareza podia se tornar o inferno humano. Pois sabia que – em termos de nossa diária e permanente acomodação resignada à irrealidade – essa clareza de realidade era um risco: "Apagai pois a minha flama, Deus, porque ela não me serve para os dias. Ajudai-me de novo a consistir de um modo mais possível. Eu consisto, eu consisto."

De algum modo já aprendera que cada dia nunca era comum, era sempre extraordinário. E que a ela cabia sofrer o dia ou ter prazer nele. Ela queria o prazer do extraordinário que era tão simples de encontrar nas coisas comuns: não era necessário que a coisa fosse extraordinária para que nela se sentisse o extraordinário.

Durante dias parecia meditar profundamente mas não meditava em nada: só sentia o leve prazer, inclusive físico, de bem-estar.

E agora era ela quem sentia a vontade de ficar sem Ulisses, durante algum tempo, para poder aprender sozinha a ser. Já duas semanas se haviam passado e Lóri sentia às vezes uma saudade tão grande que era como uma fome. Só passaria quando ela comesse a presença de Ulisses. Mas às vezes a saudade era tão profunda que a presença, calculava ela, seria pouco; ela quereria absorver Ulisses todo. Essa vontade dela ser de Ulisses e de Ulisses ser dela para uma unificação inteira era um dos sentimentos mais urgentes que tivera na vida. Ela se controlava, não telefonava, feliz em poder sentir.

Mas o prazer nascendo doía tanto no peito que às vezes, Lóri preferia sentir a habituada dor ao insólito prazer. A alegria verdadeira não tinha explicação possível, não tinha sequer a possibilidade de ser compreendida – e se parecia com o início de uma perdição irrecuperável. Aquele fundir-se com Ulisses que fora e era o seu desejo, tornara-se insuportavelmente bom. Mas ela sabia que ainda não estava à altura de usufruir de um homem. Era como se a morte fosse o nosso bem maior e final, só que não era a morte, era a vida incomensurável que chegava a ter a grandeza da morte. Lóri pensou: não posso ter uma vida mesquinha porque ela não combinaria com o absoluto da morte.

Pelos minutos de alegria por que passara, Lóri soube que a pessoa devia deixar-se inundar pela alegria aos poucos – pois era vida nascendo. E quem não tivesse força de ter prazer, que antes cobrisse cada nervo com uma película protetora, com uma película de morte para poder tolerar o grande da vida. Essa película podia consistir em Lóri em qualquer ato formal, em qualquer tipo de silêncio, em aulas aos alunos ou em várias palavras sem sentido: era o que ela fazia. Pois o prazer não era de se brincar com ele. O prazer era nós.

E em Lóri o prazer, por falta de prática, estava no limiar da angústia. Seu peito se contraiu, a força desmoronou: era a angústia sim. E, se ela não fizesse nada contra, sentia que seria a pior de suas angústias. Teve medo então.

Então telefonou para Ulisses. Ele atendeu e, se ficara surpreendido, não o demonstrara. Ela mal podia falar, tão perdida estava: tinha dado um passo a mais além do prazer e assustara-se.

Quando pôde enfim falar, disse-lhe:

– Ulisses, eu estava indo bem e de repente estou indo muito mal.

Ele disse:

– Você deve ter ido longe demais para quem começa.

Ela disse:

– Não sei se você pretende ainda me ver um dia...

Ele interrompeu-a com um brando "mas é claro, quando você quiser".

Tudo o que ele dissera – sobretudo o tom com que dissera – era no sentido de apaziguá-la. E tão forte ela se sentiu através dele que, refeita e calma, disse-lhe:

– Prefiro ficar ainda algum tempo sozinha, mesmo que seja tão difícil.

– É um sacrifício para mim também. Mas faça como quiser, se é disso que você precisa.

Ela então falou com uma tranquilidade que não conhecia em si mesma:

– É, Ulisses, é disso que eu ainda preciso.

De novo Ulisses a ajudara, sobretudo com o tom de sua voz que era muito rica em inflexões. E Lóri pensou que talvez essa fosse uma das experiências humanas e animais mais importantes: a de pedir mudamente socorro e mudamente este socorro ser dado. Pois, apesar das palavras trocadas, fora mudamente que ele a havia ajudado. Lóri se sentia como se fosse um tigre perigoso com uma flecha cravada na carne, e que estivesse rondando devagar as pessoas medrosas para descobrir quem lhe tiraria a dor. E então um homem, Ulisses, tivesse sentido que um tigre ferido não é perigoso. E aproximando-se da fera, sem medo de tocá-la, tivesse arrancado com cuidado a flecha fincada.

E o tigre? Não, certas coisas nem pessoas nem animais podiam agradecer. Então ela, o tigre, dera umas voltas vagarosas em frente ao homem, hesitara, lambera uma das patas e depois, como não era a palavra ou o grunhido o que tinha importância, afastara-se silenciosamente. Lóri nunca esqueceria a ajuda que recebera quando ela só conseguiria gaguejar de medo.

eLóri continuou na sua busca do mundo. Foi à feira de frutas e legumes e peixes e flores: havia de tudo naquele amontoado de barracas, cheias de gritos, de pessoas se empurrando, apalpando o material a comprar para ver se estava bom – Lóri foi ver a abundância da terra que era semanalmente trazida numa rua perto de sua casa em oferenda ao Deus e aos homens. Sua pesquisa do mundo não humano, para entrar em contato com o neutro vivo das coisas que, estas não pensando, eram no entanto vivas, ela passeava por entre as barracas e era difícil aproximar-se de alguma, tantas mulheres trafegavam com sacos e carrinhos.

Afinal viu: sangue puro e roxo escorria de uma beterraba esmagada no chão. Mas seu olhar se fixou na cesta de batatas. Tinham formas diversas e cores nuancizadas. Pegou uma com as duas mãos, e a pele redonda era lisa. A pele da batata era parda, e fina como a de uma criança recém-nascida. Se bem que, ao manuseá-la, sentisse nos dedos a quase insensível existência interior de pequenos brotos, invisíveis a olho nu. Aquela batata era muito bonita. Não quis comprá-la porque não queria vê-la emurchecer em casa e muito menos cozinhá-la.

A batata nasce dentro da terra.

E isso era uma alegria que ela aprendeu na hora: a batata nasce dentro da terra. E dentro da batata, se a pele é tirada, ela é mais branca do que uma maçã descascada.

A batata era a comida por excelência. Isso ela ficou sabendo, e era de uma leve aleluia.

Esgueirou-se entre as centenas de pessoas na feira e isso era um crescimento dentro dela. Parou um instante junto da barraca dos ovos.

Eram brancos.

Na barraca dos peixes entrefechou os olhos aspirando de novo o cheiro de maresia dos peixes, e o cheiro era a alma deles depois de mortos.

As peras estavam tão repletas delas mesmas que, nessa maturidade elas quase estavam em seu sumo. Lóri comprou uma e ali mesmo na feira deu a primeira dentada na carne da pera que cedeu totalmente. Lóri sabia que só quem tinha comido uma pera suculenta a entenderia. E comprou um quilo. Não era talvez para comer em casa, era para enfeitar, e para olhá-las mais alguns dias.

Como se ela fosse um pintor que acabasse de ter saído de uma fase abstracionista, agora, sem ser figurativista, entrara num realismo novo. Nesse realismo cada coisa da feira tinha uma importância em si mesma, interligada a um conjunto – mas qual era o conjunto? Enquanto não sabia, passou a se interessar por objetos e formas, como se o que existisse fizesse parte de uma exposição de pintura e escultura. O objeto então que fosse de bronze – na barraca de bugigangas para presentes, viu a pequena estátua malfeita de bronze – o objeto que fosse de bronze, ele quase lhe ardia nas mãos de tanto gosto que lhe dava lidar com ele. Comprou um cinzeiro de bronze, porque a estatueta era feia demais.

E de repente viu os nabos. Via tudo até encher-se de plenitude de visão e do manuseio das frutas da terra. Cada fruta era insólita, apesar de familiar e sua. A maioria tinha um exterior que era para ser visto e reconhecido. O que encantava Lóri. Às vezes comparava-se às frutas, e desprezando sua aparência externa, ela se comia internamente, cheia de sumo vivo que era. Ela estava procurando sair da dor, como se procurasse sair de uma realidade outra que durara sua vida até então.

as sua busca não era fácil. Sua dificuldade era ser o que ela era, o que de repente se transformava numa dificuldade intransponível.

Um dia procurou entre os seus papéis espalhados pelas gavetas da casa a prova do melhor aluno de sua classe, que ela queria rever para poder guiar mais o menino. E não achava, embora se lembrasse de que, na hora de guardá-la, prestara atenção para não perdê-la, pois era muito preciosa a composição. A procura se tornava inútil. Então ela se perguntou, como antes fazia, já que perdia tanto as coisas que guardava: se eu fosse eu e tivesse um documento importante para guardar que lugar eu escolheria? Na maioria das vezes isso a guiava a achar o perdido.

Mas desta vez ficou tão pressionada pela frase "se eu fosse eu" que a procura da prova se tornara secundária, e ela começava sem querer a pensar, o que nela era sentir.

E não se sentia cômoda. "Se eu fosse eu" provocara um constrangimento: a mentira em que se havia acomodado acabava de ser levemente locomotiva do lugar onde se acomodara. No entanto já lera biografias de pessoas que de repente passavam a ser elas mesmas e mudavam inteiramente de vida, pelo menos de vida interior. Lóri achava que se ela fosse ela, os conhecidos não a cumprimentariam na rua porque até sua fisionomia teria mudado. "Se eu fosse eu" parecia representar o maior perigo de viver, parecia a entrada nova do desconhecido.

No entanto, Lóri tinha a intuição de que, passadas as primeiras perturbações da festa íntima que haveria, ela teria enfim a experiência do mundo. Bem sabia, experimentaria enfim em pleno a dor do mundo. E a sua própria dor de criatura mortal, a dor que aprendera a não sentir. Mas também seria por vezes tomada de um êxtase de prazer puro e legítimo que ela mal podia adivinhar. Aliás já estava adivinhando porque se sentiu sorrindo e também sentiu uma espécie de pudor que se tem diante do que é grande demais. Ser-se o que se é, era grande demais e incontrolável. Lóri tinha uma espécie de receio de ir longe demais. Sempre se retinha um pouco como se retivesse as rédeas de um cavalo que poderia galopar e levá-la Deus sabe aonde. Ela se guardava. Por que e para quê? Para o que estava ela se poupando? Era um certo medo de sua capacidade, pequena ou grande. Talvez se contivesse por medo de não saber os limites de uma pessoa.

Dois dias depois Ulisses lhe telefonou e perguntou se ainda precisava ficar sozinha. Ela respondeu, contendo o desespero e contendo a vontade de cair nos seus braços para que ele a protegesse, ela respondeu: ainda.

Seu desespero vinha de que não sabia sequer por onde e pelo que começar. Só sabia que já começara uma coisa nova e nunca mais poderia voltar à sua dimensão antiga. E sabia também que devia começar modestamente, para não se desencorajar. E sabia que devia abandonar para sempre a estrada principal. E entrar pelo seu verdadeiro caminho que eram os atalhos estreitos.

Foi no dia seguinte que andando devagar e cansada pela rua, viu a moça de pé esperando o ônibus. E seu coração começou a bater – porque resolvera fazer a tentativa de contato com uma pessoa. Parou.

– O ônibus está demorando? perguntou tímida e desnorteada.

– Está.

Falhara. Seu coração bateu mais forte ainda porque sentiu que não ia desistir.

– Seu vestido é muito bonito, gosto de estampa grande com roxo.

A moça sorriu imediatamente:

– Comprei pronto, e saiu mais barato do que se tivesse mandado fazer. Minha costureira é de morte, vive aumentando o preço de um vestido para outro, e isso sem contar os aviamentos que ficam por minha conta. Por isto acho que –

Lóri não ouviu mais nada: sorria beatificada: entrara em contato com uma estranha. Interrompeu-a um pouco bruscamente mas com uma doçura de gratidão na voz:

– Adeus. Obrigada, muito obrigada.

A moça respondeu surpreendida:

– Não quer saber do endereço da loja onde compro?

– Não precisa, obrigada.

Ainda chegou a ver o ar de espanto da moça. Continuou a andar. Não, esse tipo de contato não valia. O contato mais profundo era o que importava. Quando chegou em casa telefonou para Ulisses:

– Que é que eu faço? Não estou aguentando viver. A vida é tão curta e eu não estou aguentando viver.

– Mas há muitas coisas, Lóri, que você ainda desconhece. E há um ponto em que o desespero é uma luz e um amor.
– E depois?
– Depois vem a Natureza.
– Você está chamando a morte de Natureza.
– Não, Lóri, estou chamando a nós de Natureza.
– Será que todas as vidas foram isso?
– Não sei, Lóri.

De novo, pois ele não tivera medo do tigre ferido e lhe tirara a flecha fincada no corpo. Oh Deus! Ter uma vida só era tão pouco!

O amor por Ulisses veio como uma onda que ela tivesse podido controlar até então. Mas de repente ela não queria mais controlar.

E quando notou que aceitava em pleno o amor, sua alegria foi tão grande que o coração lhe batia por todo o corpo, parecia-lhe que mil corações batiam-lhe nas profundezas de sua pessoa. Um direito-de-ser tomou-a, como se ela tivesse acabado de chorar ao nascer. Como? Como prolongar o nascimento pela vida inteira? Foi depressa ao espelho para saber quem era Loreley e para saber se podia ser amada. Mas assustou-se ao se ver.

Eu existo, estou vendo, mas quem sou eu? E ela teve medo. Parecia-lhe que sentindo menos dor, perdera a vantagem da dor como aviso e sintoma. Estivera incomparavelmente mais serena porém em grande perigo de vida: podia estar a um passo da morte da alma, a um passo desta já ter morrido, e sem o benefício de seu próprio aviso prévio.

No seu susto telefonou para Ulisses. E o empregado dele disse-lhe que ele não estava. Então de quinze em quinze minutos, desenfreados nela o medo e a dor, ela telefonava. Até que duas horas depois, ele mesmo atendeu o telefone:

— Ulisses, não encontro uma resposta quando me pergunto quem sou eu. Um pouco de mim eu sei: sou aquela que tem a própria vida e também a tua, eu bebo a tua vida. Mas isso não responde quem sou eu!

— Isso não se responde, Lóri. Não se faça de tão forte perguntando a pior pergunta. Eu mesmo ainda não posso perguntar quem sou eu sem ficar perdido.

E sua voz soara como a de um perdido. Lóri assustou-se. Não, não, ela não estava perdida, ela ia mesmo fazer uma lista de coisas que podia fazer!

Sentou-se diante do papel vazio e escreveu: comer – olhar as frutas da feira – ver cara de gente – ter amor – ter ódio – ter o que não se sabe e sentir um sofrimento intolerável – esperar o amado com impaciência – mar – entrar no mar – comprar um maiô novo – fazer café – olhar os objetos – ouvir música – mãos dadas – irritação – ter razão – não ter razão e sucumbir ao outro que reivindica – ser perdoada da vaidade de viver – ser mulher – dignificar-se – rir do absurdo de minha condição – não ter escolha – ter escolha – adormecer – mas de amor de corpo não falarei.

Depois dessa lista ela continuava a não saber quem ela era, mas sabia o número indefinido de coisas que podia fazer.

E sabia que era uma feroz entre os ferozes seres humanos, nós, os macacos de nós mesmos. Nunca atingiríamos em nós o ser humano. E quem atingia era com justiça santificado. Porque desistir da ferocidade era um sacrifício. Qual fora o apóstolo que dissera de nós: vós sois deuses?

Lembrou-se de uma conversa que tivera com Ulisses e na qual ele como divagava distraído:

— Deus não é inteligente, compreende, porque Ele é a Inteligência, Ele é o esperma e óvulo do cosmos que nos inclui. Mas eu queria saber por que você, em vez de chamar Deus, como todo o mundo, chama o Deus?

– Porque Deus é um substantivo.

– É a professora primária que está falando.

– Não, Ele é substantivo como substância. Não existe um único adjetivo para o Deus.

"Vós sois deuses." Mas éramos deuses com adjetivos.

Foi no dia seguinte que entrando em casa viu a maçã solta sobre a mesa.

Era uma maçã vermelha, de casca lisa e resistente. Pegou a maçã com as duas mãos: era fresca e pesada. Colocou-a de novo sobre a mesa para vê-la como antes. E era como se visse a fotografia de uma maçã no espaço vazio.

Depois de examiná-la, de revirá-la, de ver como nunca vira a sua redondez e sua cor escarlate – então devagar, deu-lhe uma mordida.

E, oh Deus, como se fosse a maçã proibida do paraíso, mas que ela agora já conhecesse o bem, e não só o mal como antes. Ao contrário de Eva, ao morder a maçã entrava no paraíso.

Só deu uma mordida e depositou a maçã na mesa. Porque alguma coisa desconhecida estava suavemente acontecendo. Era o começo – de um estado de graça.

Só quem já tivesse estado em graça, poderia reconhecer o que ela sentia. Não se tratava de uma inspiração, que era uma graça especial que tantas vezes acontecia aos que lidavam com arte.

O estado de graça em que estava não era usado para nada. Era como se viesse apenas para que se soubesse que realmente se existia. Nesse estado, além da tranquila felicidade que se irradiava de pessoas lembradas e de coisas, havia uma lucidez que Lóri só chamava de leve porque na graça tudo era tão, tão leve. Era uma lucidez de quem não adivinha mais: sem esforço, sabe. Apenas isto: sabe. Que não lhe perguntassem o que, pois só poderia responder do mesmo modo infantil: sem esforço, sabe-se.

E havia uma bem-aventurança física que a nada se comparava. O corpo se transformava num dom. E ela sentia que era um dom porque estava experimentando, de uma fonte direta, a dádiva indubitável de existir materialmente.

No estado de graça, via-se a profunda beleza, antes inatingível, de outra pessoa. Tudo, aliás, ganhava uma espécie de nimbo que não era imaginário: vinha do esplendor da irradiação quase matemática das coisas e das pessoas. Passava-se a sentir que tudo o que existe – pessoa ou coisa – respirava e exalava uma espécie de finíssimo resplendor de energia. Esta energia é a maior verdade do mundo e é impalpável.

Nem de longe Lóri podia imaginar o que devia ser o estado de graça dos santos. Aquele estado ela jamais conhecera e nem sequer conseguia adivinhá-lo. O que lhe acontecia era apenas o estado de graça de uma pessoa comum que de súbito se torna real, porque é comum e humana e reconhecível e tem olhos e ouvidos para ver e ouvir.

As descobertas naquele estado eram indizíveis e incomunicáveis. Ela se manteve sentada, quieta, silenciosa. Era como uma anunciação. Não sendo porém precedida pelos anjos que, supunha ela, antecediam a graça dos santos. Mas era como se o anjo da vida viesse anunciar-lhe o mundo.

Depois lentamente saiu daquela situação. Não como se tivesse estado em transe – não houvera nenhum transe – saía-se devagar, com um suspiro de quem teve o mundo como este o é. Também já era um suspiro de saudade. Pois tendo experimentado ganhar um corpo e uma alma e a terra e o céu, queria-se mais e mais. Mas era inútil desejar: só vinha espontaneamente.

Lóri não sabia explicar por que, mas achava que os animais entravam com mais frequência na graça de existir do que os humanos. Só que aqueles não sabiam, e os humanos percebiam. Os humanos tinham obstáculos que não dificultavam a vida dos animais, como raciocínio, lógica, compreensão. Enquanto que os animais tinham esplendidez daquilo que é direto e se dirige direto.

O Deus sabia o que fazia: Lóri achava que estava certo o estado de graça não nos ser dado frequentemente. Se fosse, talvez passássemos definitivamente para o "outro lado" da vida, que esse outro lado também era real mas ninguém nos entenderia jamais: perderíamos a linguagem em comum.

Também era bom que não viesse tantas vezes quantas queria: porque ela poderia se habituar à felicidade. Sim, porque em estado de graça se era muito feliz. E habituar-se à felicidade, seria um perigo social. Ficaríamos mais egoístas, porque as pessoas felizes o eram, menos sensíveis à dor humana, não sentiríamos a necessidade de procurar ajudar os que precisavam – tudo por termos na graça a compreensão e o resumo da vida.

Não, nem que dependesse de Lóri, ela não quereria ter com muita frequência o estado de graça. Seria como cair num vício, iria atraí-la como um vício, ela se tornaria contemplativa como os tomadores de ópio. E se aparecesse mais a miúdo, Lóri tinha certeza de que abusaria: passaria a querer viver permanentemente em graça. E isto representaria uma fuga imperdoável ao destino humano, que era feito de luta e sofrimento e perplexidade e alegrias.

Também era bom que o estado de graça demorasse poucos momentos. Se durasse mais, ela bem sabia, ela que conhecia suas ambições quase infantis terminaria tentando entrar nos mistérios da Natureza. No que ela tentasse, aliás, tinha a certeza de que a graça desapareceria. Pois a graça era uma dádiva e, se nada exigia, se desvaneceria se passássemos a exigir dela uma resposta. Era preciso não esquecer que o estado de graça era apenas uma pequena abertura para o mundo que era uma espécie de paraíso – mas não era uma entrada nele, nem dava o direito de se comer dos frutos de seus pomares.

Lóri saiu do estado de graça com o rosto liso, os olhos abertos e pensativos e, embora não tivesse sorrido, era como se o corpo todo acabasse de sair de um sorriso suave. E saíra melhor criatura do que entrara.

Havia experimentado alguma coisa que parecia redimir a condição humana, embora ao mesmo tempo ficassem acentuados os estreitos limites dessa condição. E exatamente porque depois da graça a condição humana se revelava na sua pobreza implorante, aprendia-se a amar mais, a esperar mais. Passava-se a ter uma espécie de confiança no sofrimento e em seus caminhos tantas vezes intoleráveis.

Havia dias que eram tão áridos e desérticos que ela daria anos de sua vida em troca de uns minutos de graça.

ois dias depois Ulisses telefonou e dessa vez ele parecia exigir a presença dela, como se não suportasse mais a espera.

Ela foi. Enquanto se aproximava de Ulisses, que estava no terraço do bar bebendo, ele a olhou e de tanta surpresa decepcionante nem sequer se levantou:

– Mas você cortou os cabelos! Você devia ter me perguntado antes!

– Eu não tinha planejado cortar, resolvi na hora.

Ela sabia como ele se sentia porque ela tivera uma angustiosa sensação de perda à medida que os cabelos eram cortados e as mechas mortas caíam no chão.

– Vou deixar crescer de novo mas comprido bastante que dê para fazer tranças que se unam acima da testa.

Ele aprovou mas estava desiludido. Lóri observou-o: parecia cansado. E ela adivinhou que o cansaço também vinha da espera que ela o obrigara a ter.

— Ulisses, você se lembra de que uma vez me perguntou por que eu voluntariamente me afastara das pessoas? Agora posso falar. É que não quero ser platônica em relação a mim mesma. Sou profundamente derrotada pelo mundo em que vivo. Separei-me só por uns tempos por causa de minha derrota e por sentir que os outros também eram derrotados. Então fechei-me numa individualização que se eu não tomasse cuidado poderia se transformar em solidão histérica ou contemplativa. O que me salvou sempre foram os meus alunos, as crianças. Sabe, Ulisses, elas são pobres e a escola não exige uniforme por isso. No inverno comprei para todos um suéter vermelho. Agora, para a primavera, vou comprar para os meninos, calça e blusa azul, e para as meninas vestidos azuis. Ou vou mandar fazer, é mais fácil de encontrar. Tenho que tirar a medida de todos os alunos porque –

Quem se levantou para ir embora foi Ulisses, para a surpresa de Lóri. Ele disse:

— Você está pronta, Lóri. Agora eu quero o que você é, e você quer o que eu sou. E toda essa troca será feita na cama, Lóri, na minha casa e não no seu apartamento. Vou escrever neste guardanapo o meu endereço. Você sabe dos meus horários na faculdade e das aulas particulares. Fora dessas horas, estarei em casa esperando por você. Encherei de rosas o meu quarto, e quando murcharem antes de você ir, comprarei novas rosas. Você pode vir quando quiser. Se eu estiver no meio de uma aula particular, você espera. Se você quiser vir no meio da noite e tiver medo de pegar um táxi sozinha, me telefone que irei buscar você.

À medida que falava escrevia no guardanapo de papel o endereço, chamava o garçom, e pagava a conta. Estendeu o guardanapo a Lóri que o pegou estarrecida.

– Lóri, eu não telefonarei mais para você. Até você vir sozinha. Preferia que você não telefonasse avisando que vinha. Queria que você, sem uma palavra, apenas viesse.

Era uma liberdade que ele lhe oferecia. No entanto ela preferiria que ele mandasse nela, que marcasse dia e hora. Mas sentiu que era inútil tentar fazê-lo mudar de ideia. Ao mesmo tempo estava contente de só ir para sua casa quando quisesse. Porque, de repente, pretendia não ir nunca. Pois haviam chegado a um amadurecimento de relações, e ela temia que dormirem juntos numa cama quebrasse o encantamento.

Nos primeiros dias Lóri se perturbava por ter certeza de que Ulisses estava esperando. Doía-lhe que as rosas murchassem e que ele pateticamente as substituísse por outras que iam murchar também. Consolava-a que a espera dele não doía tanto nele, pois se tratava de um homem extremamente paciente e com capacidade de sofrer. Então ela sossegava. Achava agora que a capacidade de sofrer era a medida de grandeza de uma pessoa e salvava a vida interior dessa pessoa.

Nos dias que se seguiram foi muito ajudada a fazer o tempo passar porque trazia para casa as provas da escola para corrigir.

Além do que estava plena e não precisava de ninguém, bastava-lhe saber que Ulisses a amava e que ela o amava. Fora o fato de estar coberta de um amor novo pelas coisas e pelas pessoas. Pelas coisas: comprou uma jarra verde de vidro e pintou-a de branco opaco e assim as flores que comprava na feira sairiam do branco. Comprou um cinzeiro de pedra-sabão, e não pôde resistir: com a unha riscou a parte de trás do cinzeiro, marcando-o, esculpindo-o. E comprou um vestido branco de fustão: se fosse ver Ulisses, usaria esse vestido. Quanto às pessoas, estava sendo sinceramente doce e alegre com os alunos que ela agora amava de um amor de mãe.

 Uma noite telefonou para a sua amiga cartomante e avisou-a de que iria vê-la. Pouco importou o que a cartomante lhe disse sobre o futuro e certo amor. O que lhe importou mais foi o seguinte: ela vira uma Coisa. Eram dez horas da noite na praça Tiradentes e o táxi corria. Então ela viu uma rua que nunca mais iria esquecer. Nem sequer pretendia descrevê-la: aquela rua era sua. Só podia dizer que estava vazia e eram dez horas da noite. Nada mais. Fora porém, germinada.

lgumas noites depois estava dormindo. E embora parecesse contradição, suavemente de repente o prazer de estar dormindo a acordara num macio sobressalto. Ficou deitada algum tempo e ainda sentia o gosto no corpo todo daquela zona rural onde subsolarmente ela espalhara das raízes os tentáculos de algum sonho. Certamente, aliás, fora um sonho bom que a despertara.

Levantou-se e foi beber um copo d'água, sem querer acender as luzes, procurando orientar-se na escuridão que não era total por causa da luz forte da casa vizinha. Eram apenas onze horas da noite. Como fora para cama às dez, dormira apenas uma hora, acordada pelo prazer de dormir.

Foi beber devagar o copo d'água no terraço. Sentiu pelo cheiro do ar e pela inquietação dos ramos das árvores que ia chover dali a pouco. Não se via a lua. O ar estava abafado, o cheiro de jasmim vinha forte do jasmineiro da vizinha. Lóri ficou de pé no terraço, um pouco sufocada pelo perfume intenso. Através da embriaguez do jasmim, por um instante uma revelação lhe veio, sob a forma de um sentimento – e no instante seguinte ela esquecera o que soubera através da revelação. Era como se o pacto com o Deus fosse este: ver e esquecer, para não ser fulminada pelo intolerável saber.

Ali em pé na semiescuridão do terraço, de repente mais suave, veio-lhe outra revelação que durou pois era o resultado intuitivo de coisas que ela pensara antes racionalmente. O que lhe veio foi a levemente assustadora certeza de que os nossos sentimentos e pensamentos são tão sobrenaturais como uma história passada depois da morte. E ela não compreendeu o que queria dizer com isso. Ela o deixou ficar, ao pensamento, porque sabia que ele encobria outro, mais profundo e mais compreensível. Simplesmente, com o copo de água na mão, descobria que pensar não lhe era natural. Depois refletiu um pouco, com a cabeça inclinada para um lado, que não tinha um dia a dia. Era uma vida a vida. E que a vida era sobrenatural.

Naquela hora da noite conhecia esse grande susto de estar viva, tendo como único amparo apenas o desamparo de estar viva. A vida era tão forte que se amparava no próprio desamparo. De estar viva – sentiu ela – teria de agora em diante, que fazer o seu motivo e tema. Com curiosidade meiga, envolvida pelo cheiro de jasmim, atenta à fome de existir, e atenta à própria atenção, parecia estar comendo delicadamente viva o que era muito seu. A fome de viver, meu Deus. Até que ponto ela ia na miséria da necessidade: trocaria uma eternidade de depois da morte pela eternidade enquanto estava viva.

Até que teve fome mesmo, foi buscar uma pera e voltou ao terraço. Ela estava comendo. Sua alma humana era a única forma possível de não chocar desastrosamente com a sua organização física, tão máquina perfeita esta era. Sua alma humana era também o único modo como lhe era dado aceitar sem desatino a alma geral do mundo. A engrenagem falhasse por meia fração de segundo, ela se desmancharia em nada.

Apesar da ameaça de chuva iminente e da angústia que o jasmim sufocante já lhe estava dando, descobria, descobria. E não chovia, não chovia. Mas a hora mais escura precedeu aquela coisa que ela não queria sequer tentar definir. Esta coisa era uma luz dentro dela, e a essa chamariam de alegria, alegria mansa.

Ficou um pouco desnorteada como se um coração lhe tivesse sido tirado, e em lugar dele estivesse agora a súbita ausência, uma ausência quase palpável, do que era antes um órgão banhado pela escuridão da dor.

Porque ela estava sentindo a grande dor. Nessa dor havia porém o contrário de um entorpecimento: era um modo mais leve e mais silencioso de existir. Quem sou eu? perguntou-se em grande perigo. E o cheiro do jasmineiro respondeu: eu sou o meu perfume.

Viu que, igual ao balançar inquieto das árvores da casa vizinha, também ela estava indócil, inquieta. Organizara-se para se consolar da angústia e da dor. Mas como era que se consolaria da mistura de simples e tranquila alegria com a angústia? Ela não estava habituada a prescindir do consolo.

Então começou finalmente a chover.

Antes uma chuva rala, depois tão densa que fazia barulho em todos os telhados.

Já sei, pensou de repente. Soube que estava procurando na chuva uma alegria tão grande que se tornasse aguda, e que a pusesse em contato com uma agudez que se parecia com a agudez da dor. Mas fora inútil a procura. Estava à porta do terraço e só acontecia isto: ela via a chuva e a chuva caía de acordo com ela. Ela e a chuva estavam ocupadas em fluir com violência.

Quanto duraria esse seu estado? Percebeu que com essa pergunta estava apalpando seu pulso para sentir onde estaria o latejar dolorido de antes.

E viu que não havia o latejar da dor como antigamente. Apenas isso: chovia fortemente e ela estava vendo a chuva e molhando-se toda.

Que simplicidade.

Nunca imaginara que uma vez o mundo e ela chegassem a esse ponto de trigo maduro. A chuva e Lóri estavam tão juntas como a água da chuva estava ligada à chuva. E ela, Lóri, não estava agradecendo nada. Não tivesse ela, logo depois de nascer tomado por acaso e forçosamente o caminho que tomara – qual? – e teria sido sempre o que realmente ela estava sendo: uma camponesa que está num campo onde chove. Nem sequer agradecendo ao Deus ou à Natureza. A chuva também não agradecia nada. Sem gratidão ou ingratidão, Lóri era uma mulher, era uma pessoa, era uma atenção, era um corpo habitado olhando a chuva grossa cair. Assim como a chuva não era grata por não ser dura como uma pedra: ela era a chuva. Talvez fosse isso, porém exatamente isso: viva. E apesar de apenas viva era de uma alegria mansa, de cavalo que come na mão da gente. Lóri estava mansamente feliz.

E de súbito, mas sem sobressalto, sentiu a vontade extrema de dar essa noite tão secreta a alguém. E esse alguém era Ulisses. Seu coração começou a bater forte, e ela se sentiu pálida pois todo o sangue, sentiu, descera-lhe do rosto, tudo porque sentiu tão repentinamente o desejo de Ulisses e o seu próprio desejo. Permaneceu um instante de pé, por um instante desequilibrada. Logo seu coração bateu ainda mais depressa e alto porque ela compreendeu que não adiaria mais, seria agora de noite.

Pegou na bolsa o endereço dele escrito no guardanapo, vestiu a capa de chuva sobre a camisola curta, e no bolso da capa levou algum dinheiro. E sem pintura nenhuma no rosto, com o resto dos cabelos curtos, caindo sobre a testa e a nuca, saiu para tomar um táxi. Fora tudo tão rápido e intenso que não se lembrara sequer de tirar a camisola, nem de se pintar.

talvez por uma necessidade de proteger essa alma nova demais, nele e nela, foi que ele sem humilhação, mas com uma atitude inesperada de devoção e também pedindo clemência para não se ferirem nesse primeiro nascimento – talvez por isso tudo é que ele se ajoelhou diante dela. E para Lóri foi muito bom. Sobretudo porque sabia que estava sendo bom para ele – era depois de grandes jornadas que um homem enfim compreendia que precisava se ajoelhar diante da mulher como diante da mãe. E para Lóri era bom porque a cabeça do homem ficava perto dos joelhos e perto de suas mãos, no seu regaço que era a sua parte mais quente. E ela pôde fazer o seu melhor gesto: nas mãos que estavam a um tempo frementes e firmes, pegar aquela cabeça cansada que era fruto dela e dele. Aquela cabeça de homem pertencia àquela mulher.

Nunca um ser humano tinha estado mais perto de outro ser humano. E o prazer de Lóri era o de enfim abrir as mãos e deixar escorrer sem avareza o vazio-pleno que estava antes encarniçadamente prendendo-a. E de súbito o sobressalto de alegria: notava que estava abrindo as mãos e o coração mas que se podia fazer isso sem perigo! Eu não estou perdendo nada! Estou enfim me dando e o que me acontece quando eu estou me dando é que recebo, recebo. Cuidado, há o perigo do coração estar livre?

Percebeu, enquanto alisava de leve os cabelos escuros do homem, percebeu que nesse seu espraiar-se é que estava o prazer ainda perigoso de ser. No entanto vinha uma segurança estranha também: vinha da certeza súbita de que sempre teria o que gastar e dar. Não havia pois mais avareza com seu vazio-pleno que era a sua alma, e gastá-lo em nome de um homem e de uma mulher.

— A noite de hoje está me parecendo um sonho.
— Mas não é. É que a realidade é inacreditável.
— Que badalar de sino é esse?
— É do relógio da Glória que marca de quinze em quinze minutos com badaladas que deixam as pombas assustadíssimas.

Lóri só tinha um medo: de que Ulisses, o grande Ulisses cuja cabeça ela segurava, a decepcionasse. Como seu pai que a sobrecarregara de contraditórios: ele a transformara ela, sua filha, em sua protetora. E ela, na infância, não pudera olhar sequer para o pai quando este tinha uma alegria, porque ele, o forte, o sábio, nas alegrias ficava inteiramente inocente e tão desarmado. Oh Deus, o pai se esquecia por uns momentos que era mortal. E obrigava ela, uma menina, a arcar com o peso da responsabilidade de saber que os nossos prazeres mais ingênuos e mais animais também morriam. Nesses instantes em que ele esquecia que ia morrer, ele a transformava menina em Pietà, a mãe dos homens.

Mas com Ulisses estava sendo diferente. Ele nunca fora humilde no amor, por deslumbramento, se tornava humilde. Ela não soube como, de joelhos mesmo, ele a tinha feito ajoelhar-se junto a ele no chão, sem que ela sentisse constrangimento. E uma vez os dois ajoelhados ele enfim a beijou.

Ele a beijou demoradamente até que ambos puderam se descolar um do outro, e ficaram se olhando sem pudor um nos olhos do outro. Ambos sabiam que já tinham ido longe demais. E ainda sentiam perigo de entregarem-se tão totalmente. Continuaram em silêncio. Foi então deitados no chão que se amaram tão profundamente que tiveram medo da própria grandeza deles.

– Devagar, Lóri, devagar, temos a noite inteira, devagar.

Eles pareciam saber que quando o amor era grande demais e quando um não podia viver sem o outro, esse amor não era mais aplicável: nem a pessoa amada tinha a capacidade de receber tanto. Lóri estava perplexa ao notar que mesmo no amor tinha-se que ter bom senso e senso de medida. Por um instante, como se tivessem combinado, ele beijou sua mão, humanizando-se. Pois havia o perigo de, por assim dizer, morrer de amor.

E logo depois que o perigo passou, ele a beijou de novo sem nenhum medo.

– Como é que você se dava com sexo?

– Era a única coisa, disse ela, em que eu dava certo.

– Eu pressenti isto, disse ele, e de puro ciúme, feriu-a: quando te vi na rua pela primeira vez vi logo que você estaria bem numa cama.

A vitalidade de camponesa é que salvava Lóri de um mundo de emoções delicadas demais. Ela viu que ele a ferira por ciúme. E disse:

– Mas esta noite é a minha primeira vez.

No começo ele a tratara com uma delicadeza e um senso de espera como se ela fosse virgem. Mas em breve a fome de Lóri fez com que Ulisses esquecesse de toda a gentileza, e foi com uma voracidade sem alegria que eles se amaram pela segunda vez. E como não bastava, já que tinham esperado tanto tempo, quase em seguida eles se possuíram realmente de novo, dessa vez com a alegria austera e silenciosa. Ela se sentiu perdendo todo o peso do corpo como uma figura de Chagall.

Depois mantiveram-se quietos, de mãos dadas. Por um instante ela retirou a mão, acendeu um cigarro, passou-o para ele, e acendeu outro para si mesma – e depois tornou a pegar na sua mão. Logo ele apagou o cigarro. Estava escuro, como ela quisera, e eles calados. Nunca me sei como agora, sentia Lóri. Era um saber sem piedade nem alegria nem acusação, era uma constatação intraduzível em sentimentos separados uns dos outros e por isso mesmo sem nomes. Era um saber tão vasto e tranquilo que "eu não sou eu", sentia ela. E era também o mínimo, pois tratava-se, ao mesmo tempo, de um macrocosmo e de um microcosmo. Eu me sei assim como a larva se transmuta em crisálida: esta é minha vida entre vegetal e animal. Ela era tão completa como o Deus: só que Este tinha uma ignorância sábia e perfeita que O guiava e ao Universo. Saber-se a si mesma era sobrenatural. Mas o Deus era natural. Lóri quis transmitir isso para Ulisses mas não tinha o dom da palavra e não podia explicar o que sentia ou o que pensava, além de que pensava quase sem palavras.

Ela adivinhou que ele quase adormecia, e então despregou devagar sua mão da dele. Ele sentiu logo a falta de contato e disse entre acordado e dormindo:

– É porque eu te amo.

Então ela, em voz baixa para não despertá-lo de todo, disse pela primeira vez na sua vida:

– É porque te amo.

Grande paz tomou-a por ter enfim dito. Sem medo de acordá-lo e sem medo da resposta, perguntou:

— Escute, você ainda vai me querer?

— Mais do que nunca, respondeu ele com voz calma e controlada. A verdade, Lóri, é que no fundo andei toda a minha vida em busca da embriaguez da santidade. Nunca havia pensado que o que eu iria atingir era a santidade do corpo.

Quanto a ela, lutara toda a sua vida contra a tendência ao devaneio, nunca deixando que ele a levasse até as últimas águas. Mas o esforço de nadar contra a corrente doce havia tirado parte de sua força vital. Agora, no silêncio em que ambos estavam, ela abriu suas portas, relaxou a alma e o corpo, e não soube quanto tempo se passara pois tinha-se entregue a um profundo e cego devaneio que o relógio da Glória não interrompia.

Ele se mexeu na cama. Então ela falou:

— Você tinha me dito que, quando me perguntassem meu nome eu não dissesse Lóri, mas "Eu". Pois só agora eu me chamo "Eu". E digo: eu está apaixonada pelo teu eu. Então nós é. Ulisses, nós é original.

Era noite cada vez mais escura e chovia muito. Embora sem vê-lo, reconheceu pela sua respiração pausada que ele dormia. Ficou de olhos abertos no escuro e cada vez mais o escuro se revelava a ela como um denso prazer compacto, quase irreconhecível como prazer, se fosse comparado com o que tivera com Ulisses. Ele estar dormindo ao seu lado deixava-a a um tempo sozinha e integrada. Ela não queria nada senão aquilo mesmo que lhe acontecia: ser uma mulher no escuro ao lado de um homem que dormia. Pensou por um instante se a morte interferiria no pesado prazer de estar viva. E a resposta foi que nem a ideia de morte conseguia perturbar o indelimitado campo escuro onde tudo palpitava grosso, pesado e feliz. A morte perdera a glória.

Lembrou-se de como era antes destes momentos de agora. Ela era antes uma mulher que procurava um modo, uma forma. E agora tinha o que na verdade era tão mais perfeito: era a grande liberdade de não ter modos nem formas.

 Não se enganava a si mesma: era possível que aqueles momentos perfeitos passassem? Deixando-a no meio de um caminho desconhecido? Mas ela poderia sempre reter nas mãos um pouco do que agora conhecia, e então seria mais fácil viver não vivendo, mal vivendo. Mesmo que nunca mais fosse sentir a grave e suave força de existir e amar, como agora, daí em diante ela já sabia pelo que esperar, esperar a vida inteira se necessário, e se necessário jamais ter de novo o que esperava. Moveu-se de súbito na cama porque foi insuportável imaginar por um instante que talvez nunca mais se repetisse a sua profunda existência na Terra. Mas, para a sua alegria inesperada, percebeu que o amaria sempre. Depois que Ulisses fora dela, ser humana parecia-lhe agora a mais acertada forma de ser um animal vivo. E através do grande amor de Ulisses, ela entendeu enfim a espécie de beleza que tinha. Era uma beleza que nada e ninguém poderia alcançar para tomar, de tão alta, grande, funda e escura que era. Como se sua imagem se refletisse trêmula num açude de águas negras e translúcidas.

 O sono às vezes lhe vinha mas tinha medo de acordar, sendo de novo a antiga mulher. A precariedade da verdadeira vida em si mesma desolava-a. Estendeu o braço no escuro e no escuro sua mão tocou no peito nu do homem adormecido: ela assim o criava pela sua própria mão e fazia com que esta para sempre guardasse na pele a gravação de viver. "Deus", pensou ela, "então era isto o que parecias me prometer". E seus olhos se fecharam num semissono, numa semivigília pois ela vigiava o sono de seu grande amante.

 Foi nesse estado sonho-vislumbre que ela sonhou vendo que a fruta do mundo era dela. Ou se não era, que acabara de tocá-la. Era uma fruta enorme, escarlate e pesada que ficava suspensa no espaço escuro, brilhando de uma quase luz de ouro. E que no ar mesmo ela encostava a boca na fruta e conseguia mordê-la, deixando-a no entanto inteira, tremeluzindo no espaço. Pois assim era com Ulisses: eles se haviam possuído além do que parecia ser possível e permitido, e no entanto ele e ela estavam inteiros. A fruta estava inteira, sim, embora dentro da boca sentisse como coisa viva a comida da terra. Era terra santa porque era a única em que um ser humano podia ao amar dizer: eu sou tua e tu és meu, e nós é um.

Até que Lóri mais profundamente adormeceu e a escuridão foi toda dela.

Depois de pouco tempo despertaram e tanto Ulisses quanto Lóri procuraram com a mão a mão do outro.

— Meu amor, disse ela.
— Sim?

Mas ela não respondeu. Então ele disse:

— Nós dois sabemos que estamos à soleira de uma porta aberta a uma vida nova. É a porta, Lóri. E sabemos que só a morte de um de nós há de nos separar. Não, Lóri, não vai ser uma vida fácil. Mas é uma vida nova. (Tudo me parece um sonho. Mas não é, disse ele, a realidade é que é inacreditável.)

Ulisses, o sábio Ulisses, perdera a sua tranquilidade ao encontrar pela primeira vez na vida o amor. Sua voz era outra, perdera o tom de professor, sua voz agora era a de um homem apenas. Ele quisera ensinar a Lóri através de fórmulas? Não, pois não era homem de fórmulas, agora que nenhuma fórmula servia: ele estava perdido num mar de alegria e de ameaça de dor. Lóri pôde enfim falar com ele de igual para igual. Porque enfim ele se dava conta de que não sabia de nada e o peso prendia a sua voz. Mas ele queria a vida nova perigosa.

— Eu sempre tive que lutar contra a minha tendência a ser a serva de um homem, disse Lóri, tanto eu admirava o homem em contraste com a mulher. No homem eu sinto a coragem de se estar vivo. Enquanto eu, mulher, sou um pouco mais requintada e por isso mesmo mais fraca – você é primitivo e direto.

– Lóri, você é agora uma supermulher no sentido em que sou um super-homem, apenas porque nós temos coragem de atravessar a porta aberta. Dependerá de nós chegarmos dificultosamente a ser o que realmente somos. Nós, como todas as pessoas, somos deuses em potencial. Não falo de deuses no sentido divino. Em primeiro lugar devemos seguir a Natureza, não esquecendo os momentos baixos, pois que a Natureza é cíclica, é ritmo, é como um coração pulsando. Existir é tão completamente fora do comum que se a consciência de existir demorasse mais de alguns segundos, nós enlouqueceríamos. A solução para esse absurdo que se chama "eu existo", a solução é amar um outro ser que, este, nós compreendemos que exista.

– Meu amor, disse ela sorrindo, você me seduziu diabolicamente. Sem tristeza nem arrependimento, eu sinto como se tivesse enfim mordido a polpa do fruto que eu pensava ser proibido. Você me transformou na mulher que sou. Você me seduziu, sorriu ela. Mas não há sordidez em mim. Sou pura como uma mulher na cama com o seu homem. Mulher nunca é pornográfica. Eu não saberia ser, apesar de nunca ter estado tão intimamente com ninguém. Você entende?

– Entendi e sei disto. Mas não gosto de falar tudo. Saiba também calar-se para não se perder em palavras.

– Não. Eu me calei a vida toda. Mas está bem, falarei menos. O que eu queria saber é se sou a seus olhos a infeliz heroína que se despe. Estou nua de corpo e alma, mas quero a escuridão que me agasalha e me cobre, não, não acenda a luz.

– Sim.

Faltara antes alguma humildade em Ulisses. Mas no amor, por deslumbramento, ele se tornara humilde e sereno.

— Eu te amo, Lóri, e não tenho muito tempo para você porque trabalho muito. Foi sempre com esforço que eu separava tempo para tomar um uísque com você. Meu trabalho vai aumentar, você terá que ser paciente, vai aumentar porque preciso afinal escrever o meu ensaio. E escreverei sem estilo, disse como se falasse sozinho. Escrever sem estilo é o máximo que, quem escreve, chega a desejar. Será, Lóri, como a tua frase que sei de cor: será o mundo com sua impessoalidade soberba versus minha individualidade como pessoa mas seremos um só. Você terá que ficar sozinha muitas vezes.

— Não me incomodo. Sou hoje outra mulher. E um minuto de segurança de teu amor renderá comigo semanas, sou outra mulher. E mesmo quero ficar mais ocupada: o ensino está me apaixonando, quero vestir, e ensinar, e amar meus alunos, e prepará-los para um modo como eu nunca fui preparada.

— Você é a mesma de sempre. Só que desabrochou em rosa vermelho-sangue. Joguei fora as duas dúzias de rosas porque tenho você, rosa grande e de pétalas úmidas e espessas. Lóri, eu vou estar tão ocupado que talvez o jeito seja casarmos para estarmos juntos. — Talvez seja melhor. Talvez o melhor seja —

Ele se interrompeu beijando demoradamente sua carne perfumada. E ela de novo caiu na vertigem que a tomou, e era de novo feliz como um ser pode morrer de felicidade. E de novo pela terceira vez eles se amaram.

Depois ele perguntou se ela queria que ele acendesse as luzes pois queria vê-la. Ela disse que sim. Então eles se olharam. Ambos estavam pálidos e ambos se acharam belos. Ela cobriu o corpo com o lençol. Em breve fumavam segurando o cigarro com uma das mãos e a outra dada à mão do outro. Ficaram em silêncio muito tempo. A própria Lóri não acompanhou seus próprios pensamentos até chegar um pouco inesperadamente à pergunta súbita:

— Qual é o meu valor social, Ulisses? O atual, quero dizer.

— O de uma mulher desintegrada na sociedade brasileira de hoje, na burguesia da classe média.

— A meu ver, você não pertence a nenhuma classe, Ulisses. Se você soubesse como é excitante eu te imitar. Aprendo contigo mas você pensa que eu aprendi com tuas lições, pois não foi, aprendi o que você nem sonhava em me ensinar. Você acha que eu ofendo a minha estrutura social com a minha enorme liberdade?

— Claro que sim, felizmente. Porque você acaba de sair da prisão como ser livre, e isso ninguém perdoa. O sexo e o amor não te são proibidos. Você enfim aprendeu a existir. E isso provoca o desencadeamento de muitas outras liberdades, o que é um risco para a tua sociedade. Até a liberdade de se ser bom assusta os outros. Você vai ver como vai ensinar melhor. Mas nós dois, se tivermos um filho, já estamos prontos.

— Esta noite eu queria engravidar.

— Seja paciente. Aliás, da próxima vez, você tem que tomar cuidado porque vamos esperar pelo momento certo de ter um filho. Antes, para facilitar, inclusive, o certo será mesmo nos casarmos.

Ela se levantou enrolada no lençol e fechou a luz. Já fazia a penumbra da pré-madrugada. E a penumbra ainda mais escura, já que se tinham visto, lhes era benéfica. Ficaram em silêncio tão prolongado que por um instante, no momento de maior escuridão que precede a aurora, ela não soube onde se achava. Era um caos e uma nebulosa tão maravilhosos que ela apertou a mão dele para que alguém a segurasse na terra. Continuaram em silêncio e despregaram as mãos e apagaram os cigarros. Ela não tinha mais o ciúme que tivera ao entrar no quarto e perceber que ele tinha uma cama de casal, com duas mesinhas de cabeceira e dois cinzeiros. Agora ela nunca mais teria ciúme.

Minutos depois ela disse:

— Não encontro ainda uma resposta quando me pergunto: quem sou eu? Mas acho que agora sei: profundamente sou aquela que tem a própria vida e também a tua vida. Eu bebi a nossa vida.

— Mas isso não se pergunta. E a pergunta deve ter outra resposta. Não se faça de tão forte perguntando a pior pergunta de um ser humano. Eu, que sou mais forte que você, não posso me perguntar "quem eu sou" sem ficar perdido.

E sua voz soara como a de um perdido.

Foi sem sobressalto que ela sentiu a mão dele pousar no seu ventre. A mão agora acariciava suas pernas. Não havia nesse momento sensualidade entre ambos. Embora ela estivesse cheia de maravilhas, como cheia de estrelas. Ela estendeu então a própria mão e tocou-lhe no sexo que logo se transformou: mas ele se manteve quieto. Ambos pareciam calmos e um pouco tristes.

— Amor será dar de presente um ao outro a própria solidão? Pois é a coisa mais última que se pode dar de si, disse Ulisses.

— Não sei, meu amor, mas sei que meu caminho chegou ao fim: quer dizer que cheguei à porta de um começo.

— Mulher minha, disse ele.

— Sim, disse Lóri, sou mulher tua.

A madrugada se abria em luz vacilante. Para Lóri a atmosfera era de milagre. Ela havia atingido o impossível de si mesma. Então ela disse, porque sentia que Ulisses estava de novo preso à dor de existir:

– Meu amor, você não acredita no Deus porque nós erramos ao humanizá-lo. Nós O humanizamos porque não O entendemos, então não deu certo. Tenho certeza de que Ele não é humano. Mas embora não sendo humano, no entanto, Ele às vezes nos diviniza. Você pensa que –

– Eu penso, interrompeu o homem e sua voz estava lenta e abafada porque ele estava sofrendo de vida e de amor, eu penso o seguinte:

POSFÁCIO
UMA LÓRI DENTRO DE SI

> *A solução para esse absurdo que se chama "eu existo", a solução é amar um outro ser que, este, nós compreendemos que exista.*

Um livro revolucionário e inspirador. Uma das maiores escritoras da língua portuguesa. Uma jornada de aprendizado e aceitação de uma protagonista feminina forte e complexa. Uma diretora estreante mulher. O desejo de transformar uma narrativa sensível, do campo do pensamento e da imaginação, numa obra cinematográfica autoral vibrante, capaz de abrir o cinema e a literatura brasileira para um público ainda maior. Esses são os pontos de partida do filme *O livro dos prazeres*, uma livre adaptação para os dias de hoje do romance *Uma aprendizagem ou o livro dos prazeres*, de Clarice Lispector, publicado em 1969.

Em sua dissertação de mestrado em estudos da linguagem pela Universidade Estadual de Campinas, a jovem chinesa Ma Lin defende que Lóri sente uma "dor" profunda que vem da ansiedade e vontade de se identificar como mulher independente numa sociedade patriarcal. Através dela, a escritora Clarice Lispector constrói pela primeira e única vez uma mulher-protagonista que realiza seu destino obtendo a autoafirmação e a autorrealização. Algo difícil, não só na literatura da época, mas ainda nos dias de hoje, mais de cinquenta anos após a publicação do livro.

Se o prazer sempre foi um tabu para a mulher, escrever ou falar sobre isso ainda hoje é problemático. Acostumadas a ler sobre o próprio corpo sob uma óptica masculina, o erotismo feminino parecia sublimado, incapaz de se expandir em direção a um crescimento individual. Por isso, esta obra escrita em 1969, em seguida da revolução cultural de Maio de 1968 e num momento crítico da política brasileira, foi extremamente ousada ao propor uma revolução feminista para o lado de dentro da mulher. Um ano após o AI-5, o quinto de dezessete grandes decretos emitidos pela ditadura militar.

"Lóri busca aventureiramente sua identidade real, aprende a se libertar dos outros, a se despir da máscara social e a viver corpo a corpo com a banalidade da vida."* Vindo de Clarice, tudo isso acontece de forma extraordinária, claro. A autora que revela em sua obra intimista um olhar extraordinário a partir do ordinário propõe aqui uma viagem ao consciente através de um processo de individuação que só se completa na transcendência através do outro, mas de um outro humano, real e não divino.

A trajetória de Lóri é a de toda mulher em busca de autonomia. Não só da mulher, mas de toda pessoa que tem coragem de olhar para dentro e enfrentar o que nem sabe que existe. Vivemos com Lóri o encontro com suas sombras e o mergulho profundo em sua crise existencial. Da escuta silenciosa à descoberta de sua própria voz, Lóri aprende a se colocar atravessando uma jornada de autoconhecimento que culmina na expressão do seu canto de sereia. Ao mesmo tempo selvagem e suave.

Lóri é uma *femme fatale*. Adora se maquiar, se vestir de forma sexy para seduzir, atrai os homens, mas mata qualquer possibilidade de amor dentro de si. No entanto, a ascese dessa alma nesse corpo que não se permite sentir se dá através do afeto e culmina numa grande explosão carnal. De pura epifania. Neste livro otimista, Clarice abre uma exceção em sua obra e torna o amor possível. Estamos diante de um final feliz, ou melhor, de sua primeira história com começo, meio e *gran finale*, seguido de silêncio e de chuva caindo.

É no espelho-Ulisses que Lóri se reconhece. Como um psicólogo, ele a conduz pacientemente ao longo de sua jornada de crescimento. Mas, apesar do tom professoral e da petulância, ele faz isso sem se colocar no papel de dominador, ainda que Lóri o veja inicialmente como um deus grego. É preciso que ela se descubra plena para enfim reconhecer o prazer de estar com o outro. E enquanto ele tenta compreender suas verdadeiras pulsões, aconselhando e apontando o seu isolamento, Lóri aprende a dar seus passos sozinha e descobre o direito de ir e vir. De igual para igual.

Como uma onça enjaulada, Lóri dá voltas, encara o silêncio, atravessa o mundo para finalmente mergulhar em busca da verdade. Na imensidão do seu oceano, ela perde o medo de sua profundidade e passa a ser o que se é. Depois, emerge plena. Flutua. Fora do mar do inconsciente ela passa a ter coragem de assumir e viver conexões afetivas reais. Com sua família, alunos, Ulisses, com o mundo e consigo mesma.

Mas essa transformação só acontece quando Lóri sai do papel de vítima e se torna responsável pelos seus desejos. Quando ela enfrenta suas sombras e se liberta do papel de objeto para ser sujeito do seu próprio prazer. E é nessa equidade alcançada por Lóri que Ulisses também se humaniza e desce do seu pedestal. E o amor humano real torna-se possível, para além do mito romântico.

"Uma das coisas que aprendi é que se deve viver apesar de. Apesar de, se deve comer. Apesar de, se deve amar. Apesar de, se deve morrer. Inclusive muitas vezes é o próprio apesar de que nos empurra para a frente", diz Ulisses. Esta relação bem particular, confusa emocionalmente, por fim nos revela a complexidade do existir, a solidão e a necessidade de se relacionar apesar de tudo. Compreendemos com eles que, para além do caos que habita a essência de cada um, vale a pena tentar ser feliz.

A história de Lóri e Ulisses também é comparada ao mito grego de Eros e Psiquê, onde "o amor, como expressão da totalidade, é impossível nas trevas da inconsciência paradisíaca, onde dois se confundem com um. Só se torna possível quando os amantes conquistam a luz da consciência sofrida de si mesmos como indivíduos únicos, separados um do outro".** Uma história de humanização através do desenvolvimento da consciência. Onde a morte enquanto passagem é necessária para um novo começo. Para um relacionamento humano, consciente e individual.

Ao mesmo tempo, *Uma aprendizagem ou o livro dos prazeres* é a Odisseia de Homero às avessas, onde temos um Ulisses que espera uma "esposa" que realiza uma grande viagem para dentro de si. Mas é ele quem seduz, preso no mastro da sua consciência, a "sereia" Loreley. Ulisses está em plena aprendizagem e, segundo ele mesmo, muito além de Lóri, e por isso é capaz de a desejar e esperar, com paciência, até que ela fique pronta com a alma também.

Neste livro, a autora não reproduz padrões tradicionais de oposição masculino/feminino. Ao processar sua investigação existencial a partir da sua condição de gênero, Clarice acaba por estabelecer articulações que vão muito além da diferenciação sexual. Ela toca o lado humano dos personagens brincando justamente com o feminino e o masculino de cada um. Nesta inversão ousada, Clarice mistura os papéis predestinados a cada gênero nas narrativas clássicas e faz com que a mulher saia em busca de aventura para ganhar o mundo. Algo bastante atual nos dias de hoje.

Diante de Ulisses, Lóri resgata seu feminino e é capaz de perceber que o seu olhar distante, inaugural, que também é um olhar de espanto, é a sua força. Com Ulisses, ela aprende a ter coragem de estar viva e percebe que não se pode cortar a dor, senão, ao contrário, se sofre o tempo inteiro. As aproximações e afastamentos que se sucedem entre os dois fazem com que a aprendizagem dela se proceda com avanço e retrocesso. Como na vida. O que também se reflete na estrutura formal do livro, cheio de idas e vindas e repetições.

No prefácio do livro, Clarice afirma: "Este livro se pediu uma liberdade maior que tive medo de me dar. Ele está acima de mim. Humildemente tentei escrevê-lo." Não à toa, a tarefa de adaptação de uma obra literária de tamanha ousadia estética tenha provocado certo temor, tanto em mim, uma diretora de cinema novata, quanto na corroteirista argentina Josefina Trotta, especializada em adaptação literária. Entretanto, curiosamente, as palavras da autora convidam ao máximo de liberdade. Então partimos do pressuposto de que a tradução livre demais não renderia e de que a adaptação que nos interessava deveria ser capaz de restituir o essencial do texto ao espírito do espectador. Ousadia essa que – para além dos personagens "psicanalisados" ao longo do processo – vem também da sua forma narrativa peculiar, um fluxo de pensamento contínuo que começa com uma vírgula e termina com dois pontos atravessando passado, presente e futuro com total liberdade.

Embora escrito em 1969, esta história tem hoje um grande apelo, por se tratar da independência feminina e o aprendizado do amor, da lenta iniciação de uma mulher e seu amado numa onda crescente de erotismo, quando justamente ninguém mais tem paciência para o tempo do outro e vivem-se amores supérfluos, líquidos.***

Após um ano de espera, Lóri aprende a viver através da humanização dos desejos, onde o amor não é mera satisfação dos instintos, mas algo muito além de uma relação puramente animal. Foi isso o que chamou a minha atenção para adaptar a história para os dias de hoje. Assim como a possibilidade de uma relação afetiva estável, desconstruindo o mito do amor romântico no qual a obrigação de fazer o outro feliz sai do cônjuge e vai para o indivíduo e suas escolhas.

O estado amortecido em que encontramos Lóri – uma mulher fechada, que decidiu não se inquietar, não sentir dor e evita entrar em contato com sua própria intensidade – e a forma como ela se reconecta a sua natureza humana é de grande força espiritual e lirismo. Trazer a público a necessidade de aceitar a nossa solidão, entender e respeitar a do outro para viver em comunhão, foi a grande motivação para encarar essa difícil tarefa de adaptação.

Recém-separada de um casamento de dez anos, percebi o quanto as relações afetivas se tornaram voláteis. E morando sozinha, num apartamento pequeno, uma verdadeira onça tentando entender quem sou eu sem ficar completamente perdida, nasceu a coragem de fazer o filme. Passei por muitas provações, como autora, diretora e de certa forma personagem desta história. Mas a trajetória de Lóri me abriu para o afeto e me ensinou a ficar bem, antes de colocar o colete salva-vidas em quem está ao meu lado.

Porém, levar este livro de rara densidade sensorial para o cinema foi a concretização de um sonho conquistado ao longo do tempo. A vida voou enquanto realizava os meus desejos que, assim como Lóri, passavam longe do projeto casamento e filhos. Existia antes uma vontade imensa de encontrar a minha voz, de me expressar artisticamente, uma pulsão incontrolável para entender como eu era por dentro. Uma investigação sem fim, que começou ainda adolescente, na fotografia, quando um olhar humanista me foi revelado numa viagem ao Peru. Prosseguiu com a escrita em forma de poesia e, já na idade adulta, no prazer de contar histórias através de imagens e sons.

Depois de anos pude perceber que o cinema, apesar de ter sido inventado e realizado de forma ostensiva pelas elites culturais e econômicas, é uma arte que atravessa diversas classes sociais. Pode haver um abismo entre a pessoa que compra o pão do café da manhã e a que fala "ação", no entanto, todos têm a mesmíssima importância na complexa engrenagem coletiva que é fazer um filme. Isso sempre me trouxe alívio e a certeza de estar no lugar certo, onde também, sob a pressão do set, conhecemos a verdade de cada um. Imagino eu, algo próximo da experiência da Lóri como professora numa escola pública.

Seguiram-se anos trabalhando como assistente de direção num universo extremamente machista até conseguir um espaço na criação. O que demorou o dobro do tempo dos meus colegas homens. No país do nepotismo declarado, com ou sem talento, os "filhos dos donos" passam na frente de muita gente, sobretudo das mulheres. Apesar disso, falar do extraordinário de dentro do ordinário sempre teve um apelo grande para mim, que gosto de poesia e tenho afinidade com autores cujo a obra gira em torno da pesquisa estética, especialmente a pesquisa em torno da linguagem.

Eu tive a sorte de encontrar ressonância nas produtoras Deborah Osborn, Natacha Cervi, Camila Nunes, na atriz

Simone Spoladore e em dezenas de homens e mulheres sensíveis que trabalharam na realização do filme. No fundo, todos sentiam falta de espaço para as narrativas femininas e sabiam que, neste mundo tomado por distopias cada dia mais incompreensíveis, falar de amor e de afeto é um ato radicalmente necessário.

Para a nossa alegria, a pensadora do audiovisual Ilana Feldman escreveu ao ver um dos últimos cortes: "Seu filme, uma espécie de fábula audiovisual sobre a solidão da posição feminina, nos instiga a cultivar um certo feminino que, nesse mundo bruto, a gente recalca, esquece até. Para isso, ele tem a imensa coragem de afirmar o amor como um lugar que ainda é – e que mais do que nunca pode ser – uma das poucas experiências dessa vida realmente compartilhadas. Mesmo que, para Lóri, amar signifique comparecer ao próprio desencontro."

Assim como Lóri, aprendi a amar e a me afirmar nesse meio tão masculino que é o do cinema. Este livro me trouxe a coragem de fazer um filme autoral à flor da pele em pleno 2019, num momento igualmente crítico da política brasileira. Talvez daí a adoração incondicional que toda adolescente tem por ele. Talvez daí o poder transformador de *Uma aprendizagem ou o livro dos prazeres* atravessar o mundo até a China. Afinal, assim como Clarice, toda mulher tem uma Lóri dentro de si. Basta ler este livro para encontrar.

— MARCELA LORDY

---

* A Formação da Mulher em *Uma Aprendizagem ou O Livro dos Prazeres*, de Clarice Lispector/ Ma Lin. – Campinas, sp: (sn), 2015.

** SILVA, Teresinha V. Z. Mito em Clarice Lispector. *Interdisciplinar* (online), v.7, p.1 – 10, 2008.

*** Inspiro-me no conceito de Zygmunt Bauman sobre a facilidade de esquecer o outro, de se desconectar numa sociedade de extrema descartabilidade, onde não se arrisca, por exemplo, a amar sinceramente (se entregar). *Amores líquidos*, 2003.

Este livro, publicado em nova edição no quadro das comemorações do centenário de nascimento de Clarice Lispector, foi impresso com as fontes Didot e Akzidenz Grotesk.